BAJO LA MISMA ESTRELLA

MW01699462

JOHN GREEN

BAJO LA MISMA ESTRELLA

Traducción de **Noemí Sobregués**

NUBE **DE TINTA**

Título original: *The Fault in Our Stars*
Publicado por acuerdo con Dutton Children's, un sello de Penguin Young Readers Book Group, y Sandra Bruna Agencia Literaria, S. L.

Primera edición: abril, 2013
Primera impresión en Colombia: abril, 2013
Décimo tercera reimpresión : octubre, 2015
Décimo cuarta reimpresión: marzo, 2016
Décimo quinta reimpresión: diciembre, 2016

© 2012, John Green
© 2012, Random House Mondadori, S. A.

Travessera de Gràcia, 47-49. 08021 Barcelona
© 2012, Noemí Sobregués Arias, por la traducción

© 2013, Penguin Random House Grupo Editorial S. A. S.
Cra. 5a. A No. 34-A-09
Bogotá, D. C, Colombia
Pbx (57-1) 7430700
www.megustaleer.com.co

Adaptación del diseño de cubierta: Random House Mondadori
Diseño de cubierta: © Rodrigo Corral

Penguin Random House Grupo Editorial apoya la protección del *copyright*.
El *copyright* estimula la creatividad, defiende la diversidad en el ámbito de las ideas y el conocimiento, promueve la libre expresión y favorece una cultura viva.
Gracias por comprar una edición autorizada de este libro y por respetar las leyes del copyright al no reproducir, escanear ni distribuir ninguna parte de esta obra por ningún medio sin permiso. Al hacerlo está respaldando a los autores y permitiendo que PRHGE continúe publicando libros para todos los lectores.

Impreso en Colombia-*Printed in Colombia*

ISBN: 978-958-57830-1-0

Impreso en Nomos Impresores S.A.

Penguin
Random House
Grupo Editorial

A Esther Earl

El Tulipán Holandés contemplaba la marea, que estaba subiendo.

—Ensambla, unifica, envenena, corrige, revela. Mira cómo sube y baja, y se lleva todo consigo.

—¿Qué es? —le pregunté.

—Agua —me contestó el holandés—. Bueno, y tiempo.

PETER VAN HOUTEN
Un dolor imperial

Nota del autor

Más que escribir una nota del autor, quisiera recordar algo referente a las páginas que siguen: este libro es una obra de ficción inventada por mí.

Ni las novelas ni sus lectores ganan nada intentando descubrir si la historia encierra en sí algún hecho real. Estos intentos atacan la propia idea de que crear historias es importante, algo así como la base fundacional de nuestra especie.

Agradezco su colaboración a este respecto.

Capítulo 1

A finales del invierno de mi decimoséptimo año de vida, mi madre llegó a la conclusión de que estaba deprimida, seguramente porque apenas salía de casa, pasaba mucho tiempo en la cama, leía el mismo libro una y otra vez, casi nunca comía y dedicaba buena parte de mi abundante tiempo libre a pensar en la muerte.

Cuando leemos un folleto sobre el cáncer, una página web o lo que sea, vemos que sistemáticamente incluyen la depresión entre los efectos colaterales del cáncer. Pero en realidad la depresión no es un efecto colateral del cáncer. La depresión es un efecto colateral de estar muriéndose. (El cáncer también es un efecto colateral de estar muriéndose. La verdad es que casi todo lo es.) Aunque mi madre creía que debía someterme a un tratamiento, así que me llevó a mi médico de cabecera, el doctor Jim, que estuvo de acuerdo en que estaba hundida en una depresión total y paralizante, que había que cambiarme la medicación y que además debía asistir todas las semanas a un grupo de apoyo.

El grupo de apoyo ponía en escena un elenco cambiante de personajes en diversos estadios de enfermedad tumoral. ¿Por qué el elenco era cambiante? Un efecto colateral de estar muriéndose.

El grupo de apoyo era de lo más deprimente, por supuesto. Se reunía cada miércoles en el sótano de una iglesia episcopal de piedra con forma de cruz. Nos sentábamos en corro justo en medio de la cruz, donde se habrían unido las dos tablas de madera, donde habría estado el corazón de Jesús.

Me di cuenta porque Patrick, el líder del grupo de apoyo y la única persona en la sala que tenía más de dieciocho años, hablaba sobre el corazón de Jesús en cada puñetera reunión, y decía que nosotros, como jóvenes supervivientes del cáncer, nos sentábamos justo en el sagrado corazón de Cristo, y todo ese rollo.

En el corazón de Dios las cosas funcionaban así: los seis, o siete, o diez chicos que formábamos el grupo entrábamos a pie o en silla de ruedas, echábamos mano a un decrépito surtido de galletas y limonada, nos sentábamos en el «círculo de la confianza» y escuchábamos a Patrick, que nos contaba por enésima vez la miserable y depresiva historia de su vida: que tuvo cáncer en los huevos y pensaban que se moriría, pero no se murió, y ahora aquí está, todo un adulto en el sótano de una iglesia en la ciudad que ocupa el puesto 137 de la lista de las ciudades más bonitas de Estados Unidos, divorciado, adicto a los videojuegos, casi sin amigos, que a duras penas se gana la vida explotando su pasado cancerígeno, que intenta sacarse poco a poco un máster que no mejorará sus expectativas laborales y que espera, como todos nosotros, que caiga sobre él la espada de Damocles y le proporcione el alivio del que se libró hace muchos años, cuando el cáncer le invadió los cojones, pero le dejó lo que solo un alma muy generosa llamaría vida.

¡Y TAMBIÉN USTEDES PUEDEN TENER ESA GRAN SUERTE!

Luego nos presentábamos: nombre, edad, diagnóstico y cómo estábamos en ese momento. «Me llamo Hazel —dije cuando me llegó el turno—. Dieciséis años. Al principio tiroides, pero hace mucho hizo metástasis en los pulmones. Y estoy muy bien.»

Una vez concluido el círculo, Patrick siempre preguntaba si alguien quería compartir algo. Y entonces empezaban las charlas en grupo, y todo el mundo hablaba de pelear, luchar, vencer, retroceder y hacerse escáneres. Para ser justa con Patrick, debo decir que también nos dejaba hablar de la muerte, aunque la mayoría de ellos no estaban muriéndose. La mayoría de ellos llegarían a adultos, como Patrick.

(Eso implica que había bastante competitividad, porque todo el mundo quería derrotar no solo el cáncer, sino también a las demás personas de la sala. Ya sé que es absurdo, pero es como cuando te dicen que tienes, pongamos por caso, un veinte por ciento de posibilidades de vivir cinco años. Entonces entran en juego las matemáticas y calculas que es una posibilidad de cada cinco… así que miras a tu alrededor y piensas lo que pensaría cualquier persona sana: «Tengo que durar más que cuatro de estos bastardos».)

Lo único positivo del grupo de apoyo era Isaac, un joven de cara alargada, flacucho y con el pelo rubio y liso cayéndole sobre un ojo.

Y sus ojos eran el problema. Tenía un extraño y poco frecuente cáncer de ojos. De niño le habían extirpado un ojo, y ahora llevaba unas gafas de culo de botella que hacían que sus ojos parecieran inmensos (los dos, el real y el de cristal), como si toda su cara se redujera a ese ojo falso y ese ojo verdadero, que te miraban fijamente. Por lo que pude entender en las raras ocasiones en que Isaac compartió sus experiencias con el grupo, el cáncer se había reproducido y amenazaba de muerte al ojo que le quedaba.

Isaac y yo nos comunicábamos casi exclusivamente con la mirada. Cada vez que alguien hablaba de dietas contra el cáncer, de aspirar aleta de tiburón molida o cosas por el estilo, me lanzaba una mirada. Yo movía ligeramente la cabeza y resoplaba a modo de respuesta.

El grupo de apoyo era aburridísimo, y a las pocas semanas casi teníán que llevarme a rastras. De hecho, el miércoles que conocí a Augustus Waters había hecho todo lo posible por librarme de él mientras veía con mi madre la tercera etapa de un maratón de doce horas de *America's Nex Top Model*, un *reality show* de la temporada anterior, sobre chicas que quieren ser modelos, que tengo que admitir que ya había visto, pero me daba igual.

Yo: Me niego a ir al grupo de apoyo.

Mi madre: Uno de los síntomas de la depresión es no tener interés en nada.

Yo: Déjame ver el *reality*, por favor. Es hacer algo.

Mi madre: Ver televisión no es hacer algo.

Yo: Uf, mamá, por favor.

Mi madre: Hazel, eres una adolescente. Ya no eres una niña pequeña. Tienes que hacer amigos, salir de casa y vivir tu vida.

Yo: Si quieres que sea una adolescente, no me mandes al grupo de apoyo. Cómprame una identificación falsa para que pueda ir a la disco, beber vodka y fumar porros.

Mi madre: Para empezar, tú no fumas porros.

Yo: Mira, eso lo sabría si me consiguieras una identificación falsa.

Mi madre: Vas a ir al grupo de apoyo.

Yo: UFFFFFFFFFFF.

Mi madre: Hazel, te mereces una vida.

Me callé, aunque no llegaba a entender qué tenía que ver ir al grupo de apoyo con la vida. Aun así, acepté ir después de negociar mi derecho a grabar los episodios del *reality* que iba a perderme.

Fui al grupo de apoyo por la misma razón por la que hacía tiempo había permitido que enfermeras que solo habían estudiado un año y medio para sacarse el título me envenenaran con productos químicos de nombres exóticos: quería que mis padres estuvieran contentos. Solo hay una cosa en el mundo más jodida que tener cáncer a los dieciséis años, y es tener un hijo con cáncer.

Mi madre se paró en doble fila detrás de la iglesia a las 16.56. Fingí trastear un segundo con mi tanque de oxígeno solo para perder tiempo.

—¿Quieres que te la entre?

—No, está bien —contesté.

El tanque verde pesaba poco, y tenía un carrito de metal para arrastrarlo. Me lanzaba dos litros de oxígeno por minuto a través de una cánula, un tubo transparente que se dividía en dos a la altura del cuello, me rodeaba las orejas y se introducía en mis fosas nasales. Necesitaba ese artilugio porque mis pulmones pasaban olímpicamente de ser pulmones.

—Te quiero —me dijo mi madre cuando salí del carro.

—Y yo a ti, mamá. Nos vemos a las seis.

—¡Haz amigos! —exclamó por la ventanilla mientras me alejaba.

No quise coger el ascensor porque en el grupo de apoyo coger el ascensor significa que estás en las últimas, así que bajé por la escalera. Cogí una galleta, me llené un vaso de plástico de limonada y me di la vuelta.

Un chico me miraba fijamente.

Estaba segura de que no lo había visto antes. Como era alto y musculoso, la silla escolar de plástico en la que estaba sentado parecía de juguete. Tenía el pelo de color caoba, liso y corto. Parecía de mi edad, quizá un año más, y había pegado el culo al fondo de la silla, en una postura lamentable, con una mano medio metida en un bolsillo de sus bluyines oscuros.

Miré hacia otro lado, porque de pronto fui consciente de que iba hecha una pena. Llevaba unos bluyines viejos que alguna vez habían sido ajustados, pero que ahora me colgaban por todas partes, y una camiseta amarilla de un grupo de música que ya no me gustaba. En cuanto al pelo, lo llevaba cortado a lo monaguillo, y ni siquiera me había molestado en cepillármelo. Además tenía los cachetes ridículamente inflados, como una ardilla, un efecto colateral del tratamiento. Parecía una persona de proporciones normales con un globo por cabeza. Eso por no hablar de los tobillos hinchados. Pero le lancé una mirada rápida y vi que sus ojos seguían clavados en mí.

Me pregunté por qué la gente lo llamaba «contacto» visual.

Me dirigí al grupo y me senté al lado de Isaac, a dos sillas de distancia del joven. Volví a echar un vistazo, y seguía mirándome.

Les digo una cosa: estaba buenísimo. Si un chico que no está bueno te mira de arriba abajo, en el mejor de los casos te sientes incómoda, y, en el peor, te sientes agredida. Pero un chico que está bueno… en fin.

Saqué el móvil y pulsé una tecla para ver la hora: las 16.59. El grupo se completó con los infelices adolescentes de doce a dieciocho años, y entonces Patrick empezó la oración de la serenidad: «Dios, concédeme serenidad para aceptar las cosas que no puedo cambiar, valor para cambiar las que puedo cambiar y sabiduría para entender la diferencia». El chico seguía mirándome. Sentí que me ruborizaba.

Al final decidí que la mejor estrategia era mirarlo yo a él. Al fin y al cabo, los chicos no tienen el monopolio de las miradas. Así que lo observé detenidamente mientras Patrick comentaba por enésima vez que era impotente, etcétera, y enseguida la cosa se convirtió en una competición de miradas. Al rato el chico sonrió y desvió por fin sus ojos azules. Cuando volvió a mirarme, alcé las cejas para darle a entender que yo había ganado.

El chico encogió los hombros. Patrick siguió hasta que por fin llegó el momento de las presentaciones.

—Isaac, quizá te gustaría empezar hoy. Sé que estás pasando por un momento difícil.

—Sí —contestó Isaac—. Me llamo Isaac y tengo diecisiete años. Parece que tienen que operarme dentro de dos semanas. Después de la operación me quedaré ciego. No me quejo ni nada de eso, porque sé que muchos de ustedes están peor, pero, bueno, en fin, ser ciego es una mierda. Aunque mi novia me ayuda, y amigos como Augustus.

Señaló con la cabeza al chico, que ahora tenía nombre.

—En fin —continuó diciendo Isaac mirándose las manos, con las que había formado una especie de tipi—, no hay nada que hacer.

—Puedes contar con nosotros, Isaac —dijo Patrick—. Vamos a decírselo a Isaac, chicos.

Y hablamos todos a la vez:

—Puedes contar con nosotros, Isaac.

El siguiente fue Michael, de doce años. Tenía leucemia. Siempre había tenido leucemia. Estaba bien. (O eso dijo, aunque había cogido el ascensor.)

Linda tenía dieciséis años y era lo bastante linda para ser objeto de las miradas del chico bueno. Era una asidua con un cáncer de apéndice que había remitido hacía mucho tiempo. Yo ni siquiera sabía que el cáncer de apéndice existía hasta que la oí nombrarlo. Dijo —como había dicho todas las veces en que yo había ido al grupo del apoyo— que se sentía fuerte, y a mí, con aquellas protuberancias que expulsaban oxígeno y me hacían cosquillas en la nariz, me pareció pretencioso.

Intervinieron otros cinco chicos antes de que le tocara a él. Cuando le llegó su turno, sonrió ligeramente. Tenía una voz grave, ardiente y terriblemente sexy:

—Me llamo Augustus Waters. Tengo diecisiete años. Hace un año y medio me diagnosticaron un osteosarcoma, pero estoy aquí solo porque Isaac me lo ha pedido.

—¿Y cómo estás? —le preguntó Patrick.

—Muy bien. —Esbozó una sonrisa torcida—. Estoy en una montaña rusa que no hace más que subir, amigo mío.

Cuando me llegó el turno, dije:

—Me llamo Hazel y tengo dieciséis años. Cáncer de tiroides que ha pasado a los pulmones. Estoy bien.

La hora pasó enseguida. Se contaron peleas, batallas ganadas en guerras que sin duda se perderían. Se aferraban a la esperanza. Se habló de la familia, tanto bien como mal. Estaban todos de acuerdo en que los amigos no lo entendían. Se derramaron lágrimas y se recibió consuelo. Ni Augustus Waters ni yo volvimos a hablar hasta que Patrick dijo:

—Augustus, quizá te gustaría compartir tus miedos con el grupo.

—¿Mis miedos?

—Sí.

—Me da miedo el olvido. —Habló sin pensárselo un segundo—. Lo temo como el ciego al que le da miedo la oscuridad.

—No te adelantes —intervino Isaac esbozando una media sonrisa.

—¿He sido poco delicado? —preguntó Augustus—. Puedo ser bastante ciego con los sentimientos de los demás.

Isaac se reía, pero Patrick levantó un dedo amonestador:

—Augustus, por favor, sigamos contigo y con tu lucha. ¿Has dicho que te da miedo el olvido?

—Sí, eso he dicho —contestó Augustus.

Patrick parecía perdido.

—Bueno, ¿alguien quiere hablar de este tema?

Yo había dejado el instituto hacía tres años. Mis padres eran mis dos mejores amigos. Mi tercer mejor amigo era un escritor que no sabía que yo existía. Era una persona bastante tímida, de las que no levantan la mano.

Pero por una vez decidí hablar. Levanté ligeramente la mano.

—¡Hazel! —exclamó de inmediato Patrick con evidente alegría.

Estoy segura de que pensó que estaba empezando a abrirme y a formar parte del grupo.

Miré a Augustus Waters, que me devolvió la mirada. Sus ojos eran tan azules que casi podías verte en ellos.

—Llegará un día en que todos nosotros estaremos muertos —dije—. Todos nosotros. Llegará un día en que no quedará un ser humano que recuerde que alguna vez existió alguien o que alguna vez nuestra especie hizo algo. No quedará nadie que recuerde a Aristóteles o a Cleopatra, por no hablar de ustedes. Todo lo que hemos hecho, construido, escrito, pensado y descubierto será olvidado, y todo esto —continué, señalando a mi alrededor— habrá existido para nada. Quizá ese día llegue pronto o quizá tarde millones de años, pero, aunque sobrevivamos al desmoronamiento del sol, no sobreviviremos para siempre. Hubo tiempo antes de que los organismos tuvieran conciencia de sí mismos, y habrá tiempo después. Y si te preocupa que sea inevitable que el hombre caiga en el olvido, te aconsejo que ni lo pienses. Dios sabe que es lo que hace todo el mundo.

Aprendí estas cosas de mi anteriormente mencionado tercer mejor amigo, Peter van Houten, el solitario autor de *Un dolor imperial*, el libro que yo consideraba la Biblia. Peter van Houten era la única persona con la que había tropezado que: *a)* parecía entender qué es estar muriéndose, y *b)* no se había muerto.

Cuando acabé, la sala se quedó bastante rato en silencio. Observé una amplia sonrisa en la cara de Augustus, no la medio sonrisita torcida del chico que pretendía ser sexy mientras me miraba fijamente, sino su sonrisa de verdad, demasiado grande para su cara.

—Joder —dijo Augustus en voz baja—, qué chica más rara.

Ninguno de los dos volvimos a decir nada hasta que terminó la reunión. Al final tuvimos que cogernos todos de las manos, y Patrick empezó otra oración.

—Señor Jesucristo, nos hemos reunido en Tu corazón, literalmente en Tu corazón, como supervivientes del cáncer. Tú y solo Tú nos conoces como nos conocemos a nosotros mismos. Guíanos hacia la vida y la luz en nuestra dura prueba. Te rogamos por los ojos de Isaac, por la sangre de Michael y Jamie, por los huesos de Augustus, por los pulmones de Hazel y por la garganta de James. Te rogamos que nos cures y que podamos sentir Tu amor y Tu paz, que rebasa toda comprensión. Y no olvidamos a los queridos compañeros que se marcharon contigo: María, Kade, Joseph, Haley, Abigail, Angelina, Taylor, Gabriel…

La lista era larga. El mundo está lleno de muertos. Y mientras Patrick siguió con su retahíla, leyendo la lista de una hoja de papel, porque era demasiado larga para que se la supiera de memoria, mantuve los ojos cerrados e intenté centrarme en la oración, pero sobre todo imaginaba el día en que mi nombre pasara a formar parte de esa lista, al final de todo, cuando ya todo el mundo hubiera dejado de escuchar.

Cuando Patrick acabó, pronunciamos todos juntos un estúpido mantra —HOY ES EL MEJOR DÍA DE NUESTRA VIDA— y se dio por finalizada la sesión. Augustus Waters se levantó de la silla y vino hacia mí. Sus andares eran tan torcidos como su sonrisa. Era mucho más alto que yo, pero se quedó a cierta distancia de mí, así que no tuve que estirar el cuello para mirarlo a los ojos.

—¿Cómo te llamas? —me preguntó.

—Hazel.

—Me refiero a tu nombre completo.

—Ah… Hazel Grace Lancaster.

Estaba a punto de decirme algo cuando Isaac se acercó.

—Espera —añadió Augustus levantando un dedo, y se volvió hacia Isaac—. Ha sido mucho peor de lo que decías.

—Te dije que era una pena.

—¿Por qué pierdes el tiempo en estas cosas?

—No lo sé. Quizá ayuda.

Augustus se acercó a su amigo creyendo que yo no lo oiría.

—¿Esta chica suele venir?

No oí el comentario de Isaac, pero Augustus le contestó:

—Se lo diré.

Sujetó a Isaac por los hombros y se separó un poco de él:

—Cuéntale a Hazel lo de la clínica.

Isaac apoyó una mano en la mesa de la merienda y dirigió a mí su enorme ojo.

—Vale. Pues que he ido a la clínica esta mañana y le he dicho a mi cirujano que prefería quedarme sordo a ciego. Y él me ha dicho: «Las cosas no funcionan así». Y yo: «Ya, ya entiendo que no funcionan así. Lo único que digo es que preferiría quedarme sordo a ciego si pudiera elegir, pero ya sé que no puedo». Y él me ha dicho: «Bueno, la buena noticia es que no vas a quedarte sordo». Y yo le he soltado: «Gracias por explicarme que mi cáncer de ojos no va a dejarme sordo. Ya veo que tengo la inmensa suerte de que una gran eminencia como usted se digne operarme».

—Parece un ganador —le dije—. Voy a intentar pillar un cáncer de ojos para poder conocer a ese tipo.

—Te deseo suerte. Bueno, tengo que irme. Mónica está esperándome. Voy a mirarla mucho mientras pueda.

—¿Contrainsurgencia mañana? —preguntó Augustus.

—Por supuesto.

Isaac se giró y subió corriendo la escalera, de dos en dos. Augustus Waters se volvió hacia mí.

—Literalmente —me dijo.

—¿Literalmente? —le pregunté.

—Estamos literalmente en el corazón de Jesús —añadió—. Pensaba que estábamos en el sótano de una iglesia, pero estamos literalmente en el corazón de Jesús.

—Alguien debería informar a Jesús —le comenté—. Vaya, puede ser peligroso almacenar en el corazón a niños con cáncer.

—Se lo diría yo mismo —dijo Augustus—, pero por desgracia estoy literalmente encerrado dentro de Su corazón, así que no podrá oírme.

Me reí, y él sacudió la cabeza sin dejar de mirarme.

—¿Qué pasa? —le pregunté.

—Nada —me contestó.

—¿Por qué me miras así?

Augustus esbozó una media sonrisa.

—Porque eres linda. Me gusta mirar a las personas lindas y hace un tiempo decidí no privarme de los sencillos placeres de la vida.

Se quedó un momento en un incómodo silencio.

—Bueno —siguió diciendo—, sobre todo teniendo en cuenta que, como bien has comentado, todo esto acabará en el olvido.

Me reí, o suspiré, o lancé una especie de bufido parecido a la tos.

—No soy lin... —empecé a decir.

—Te pareces a Natalie Portman, a la Natalie Portman de *V de vendetta*.

—No la he visto —le dije

—¿En serio? —me preguntó—. A una preciosa chica de pelo corto no le gusta la autoridad y no puede evitar enamorarse de un chico que sabe que es problemático. Hasta aquí, parece tu biografía.

Estaba claro que estaba coqueteando. Y la verdad es que me volvía loca. Ni siquiera sabía que los chicos podían volverme loca, quiero decir en la vida real.

Una chica más joven pasó por nuestro lado.

—¿Qué tal, Alisa? —le preguntó.

—Hola, Augustus —le contestó la chica sonriendo.

—Del Memorial —me explicó.

El Memorial era el gran hospital universitario.

—¿Adónde vas tú? —me preguntó.

—Al Infantil —le contesté en voz más baja de lo que pretendía.

Asintió. La conversación parecía haber terminado.

—Bueno —añadí señalando ligeramente con la cabeza los escalones que nos conducían literalmente al exterior del corazón de Jesús.

Incliné el carrito para que se apoyara en las ruedas y empecé a andar. Él cojeó a mi lado.

—Nos vemos el próximo día, ¿no? —le pregunté.

—Tienes que verla. *V de vendetta*, digo.

—Bueno —le contesté—. La buscaré.

—No. Conmigo. En mi casa —me dijo—. Ahora.

Me detuve.

—Casi no te conozco, Augustus Waters. Podrías ser un asesino en serie.

Augustus asintió.

—Tienes razón, Hazel Grace.

Siguió andando y me dejó atrás. El saco verde le ceñía los hombros. Caminaba con la espalda recta y se inclinaba ligeramente hacia la derecha mientras avanzaba con paso firme y seguro sobre lo que supuse que era una pierna ortopédica. Algunas veces el osteosarcoma se te lleva una extremidad para probarte. Si le gustas, se lleva el resto.

Lo seguí escaleras arriba, pero como subía despacio, porque a mis pulmones no se les daban bien las escaleras, iba quedándome atrás.

Llegamos al parqueadero, fuera ya del corazón de Jesús. La brisa primaveral era algo fresca, y la luz del atardecer, de una delicadeza divina.

Mi madre todavía no había llegado, y era raro, porque casi siempre estaba esperándome cuando salía. Miré alrededor y vi que una chica morena, alta y con curvas había arrastrado a Isaac contra la pared de piedra de la iglesia y lo besaba apasionadamente. Estaban tan cerca que oía los extraños sonidos de sus lenguas pegadas, y a Isaac diciéndole «Siempre», y a la chica respondiéndole «Siempre».

De pronto Augustus se detuvo a mi lado.

—Son muy aficionados a besarse en plena calle —murmurmuró.

—¿Qué es eso de «siempre»?

El ruido de lametones aumentó de volumen.

—«Siempre» es su rollo. Siempre se querrán y esas cosas. Calculo que se habrán mandado la palabra «siempre» por SMS unos cuatro millones de veces en el último año, y me quedo corto.

Llegaron otros dos carros, que se llevaron a Michael y a Alisa. Ahora Augustus y yo estábamos solos, observando a Isaac y a Mónica, que se embalaban como si no estuvieran apoyados en un lugar de culto. Isaac aferró con las dos manos las tetas de Mónica, por encima de la blusa, y las sobó moviendo los dedos alrededor. Me preguntaba si era agradable. No lo parecía, pero decidí perdonar a Isaac porque estaba quedándose ciego. Ya se sabe que los sentidos tienen que pegarse un festín mientras todavía tienen hambre.

—Imagínate la última vez que vas al hospital —le dije en voz baja—. La última vez que vas a conducir un auto.

—Estás cortándome el rollo, Hazel Grace —contestó Augustus sin mirarme—. Estoy intentando contemplar el amor juvenil en todo su torpe esplendor.

—Creo que está haciéndole daño en las tetas —le comenté.

—Sí, es difícil determinar si está excitándola o haciéndole una revisión de mamas.

Augustus Waters se metió la mano en un bolsillo y sacó un paquete de cigarrillos, nada menos. Lo abrió y se colocó un cigarrillo entre los labios.

—¿Estás loco? —le pregunté—. ¿Te crees muy interesante? Vaya, ya has mandado la historia a la mierda.

—¿Qué historia? —me preguntó volviéndose hacia mí muy serio.

El cigarrillo, sin encender, colgaba de la comisura de sus labios.

—La historia de un chico que no es feo, ni tonto, ni parece tener nada malo, que me mira, me señala usos incorrectos de la literalidad, me compara con una actriz y me pide que vaya a ver una película a su casa. Pero, claro, siempre tiene que haber una *hamartía*, joder, y la tuya es que, aunque TIENES UN PUTO CÁNCER, das dinero a una empresa a cambio de la posibilidad de tener MÁS CÁNCER, joder. Te aseguro que no poder respirar es una PUTA MIERDA. Totalmente frustrante. Totalmente.

—¿Una *hamartía*? —me preguntó.

El cigarrillo, todavía entre sus labios, le tensaba la mandíbula. Desgraciadamente, tenía una mandíbula preciosa.

—Un error fatal —le aclaré apartándome de él.

Me dirigí hacia el borde de la acera y dejé a Augustus detrás de mí. En ese momento oí que un coche arrancaba al final de la calle. Era mi madre. Fijo que había estado esperando a que hiciera amigos.

Sentía crecer en mí una extraña mezcla de decepción y rabia. La verdad es que ni siquiera sabía lo que sentía, solo que era muy fuerte, y quería dar un golpe a Augustus Waters y también cambiarme los pulmones por otros que no pasaran olímpicamente de ser pulmones. Estaba en el borde de la acera con mis Converse, los grilletes en forma de tanque de oxígeno en el carrito, a mi lado, y en cuanto mi madre se acercó, sentí que me cogían de la mano.

Me solté, pero me giré hacia él.

—Los cigarrillos no te matan si no los enciendes —me dijo mientras mi madre se acercaba al borde—. Y nunca he encendido ninguno. Mira, es una metáfora: te colocas el arma asesina entre los dientes, pero no le concedes el poder de matarte.

—Una metáfora —añadí dudando.

Mi madre estaba ya esperándome.

—Una metáfora —me repitió.

—Decides lo que haces en función de su connotación metafórica… —le contesté.

—Por supuesto —me contestó con una sonrisa de tonto, de oreja a oreja—. Soy un gran aficionado a las metáforas, Hazel Grace.

Me giré hacia el carro y di unos golpecitos en la ventanilla hasta que bajó.

—Voy a ver una peli con Augustus Waters —le dije a mi madre—. Grábame los siguientes capítulos del maratón del *reality*, por favor.

Capítulo 2

Augustus Waters conducía fatal. Tanto si estábamos parados como si avanzábamos, no dejábamos de pegar botes. Yo iba volando contra el cinturón de seguridad de su Toyota con cada frenazo, y la nuca me salía despedida hacia atrás cada vez que aceleraba. Debería haber estado nerviosa —iba en el carro de un extraño, camino de su casa, y era perfectamente consciente de que mis pulmones de mierda no iban a permitirme grandes esfuerzos para evitar que se propasara—, pero conducía tan absolutamente mal que no podía pensar en otra cosa.

Avanzamos unos dos kilómetros en silencio hasta que Augustus me dijo:

—Suspendí tres veces el carnet de conducir.

—Ni que lo jures.

Se rió y sacudió la cabeza.

—Bueno, no tengo sensibilidad en la puta pierna ortopédica y no encuentro el truco de conducir solo con la izquierda. Mis médicos dicen que la mayoría de los amputados pueden conducir sin problemas, pero… ya ves. Yo no. En fin, lo he conseguido a la cuarta, y es lo que hay.

Medio kilómetro más allá un semáforo se puso en rojo. Augustus pegó un frenazo que me lanzó contra el triangular abrazo del cinturón de seguridad.

—Perdona. Te juro por Dios que estoy intentando conducir suave. Bueno, cuando terminé el examen estaba convencido de que había vuelto a suspender, pero el examinador me dijo: «Conduces mal, pero técnicamente no es peligroso».

—No estoy tan segura —le contesté—. Me temo que fue un premio de consolación por tener cáncer.

A los chicos con cáncer suelen ofrecerles pequeñas cosas que no les dan a los demás, como pelotas de baloncesto firmadas por deportistas famosos, bonos para entregar tarde los deberes, carnets de conducir sin saber conducir, etcétera.

—Claro —me dijo.

El semáforo cambió a verde. Me preparé. Augustus pisó el acelerador.

—¿Sabes que hay mandos de mano para las personas que no pueden utilizar los pies? —le pregunté.

—Sí —me contestó—. Quizá algún día los ponga.

Suspiró de una manera que hizo que me preguntara si realmente creía que llegaría a ese día. Sabía que en muchos casos el osteosarcoma podía curarse, pero...

Hay varias maneras de descubrir las expectativas de supervivencia de alguien sin necesidad de preguntárselo directamente, y yo recurrí a la clásica.

—¿Vas al colegio?

Los padres suelen sacarte de la escuela en cuanto piensan que vas a morir.

—Sí —me contestó—. Voy al North Central, aunque un año atrasado. Estoy en segundo de bachillerato. ¿Y tú?

Pensé en mentir. Al fin y al cabo, a nadie le gustan los cadáveres. Pero al final le dije la verdad.

—No. Mis padres me sacaron de la escuela hace tres años.

—¿Tres años? —me preguntó sorprendido.

Expliqué a Augustus los principales episodios de mi milagro: me diagnosticaron estadio IV de cáncer de tiroides cuando tenía trece años. (No le dije que me lo diagnosticaron tres meses después de que me viniera la regla por primera vez, en plan: «¡Felicidades! Ya eres mujer. Ahora, muérete».) Nos dijeron que era incurable.

Pasé por una operación llamada «disección radical de cuello», y que es tan agradable como su nombre. Después por radiaciones. A continuación probaron la quimio para mis pulmones. Los tumores disminuyeron, pero luego volvieron a crecer. Por entonces tenía catorce años. Se me empezaron a llenar los pulmones de líquido. Parecía un cadáver, con las manos y los pies hinchados, la piel agrietada y los labios siempre morados. Hay un medicamento que hace que no te asuste tanto el hecho de no poder respirar, y a través de una cánula me llenaban las venas de ese medicamento y de un montón más. Aun así, ahogarse es bastante desagradable, especialmente cuando sucede durante meses. Al final acabé en la UCI con neumonía, y mi madre se arrodilló junto a mi cama y me dijo: «¿Estás preparada, cariño?», y yo le contesté que estaba preparada, y mi padre no dejaba de repetirme que me quería, y no se le entrecortaba demasiado la voz porque la tenía ya entrecortada del todo, y yo le repetía que también lo quería, y todos se cogían de la mano, y yo no podía respirar, mis pulmones no aguantaban más, se ahogaban, me sacaban de la cama intentando encontrar una posición que les permitiera coger aire, y su desesperación me avergonzaba, me enfurecía que no lo dejaran correr de una vez, y recuerdo a mi madre diciéndome que todo iba bien, que no pasaba nada, que no me pasaría nada, y mi padre hacía tantos esfuerzos por no llorar que cuando lo hacía, y lo hacía a menudo, parecía un terremoto. Y recuerdo que no quería estar despierta.

Todos pensaron que estaba acabada, pero María, mi oncóloga, consiguió sacar un poco de líquido de mis pulmones, y poco después los antibióticos que me habían dado para la neumonía empezaron a hacer efecto.

Me desperté y enseguida me metieron en una de esas pruebas experimentales para desahuciados famosas en la República de Cancerlandia. El medicamento era el Phalanxifor, una molécula diseñada para que se pegue a las células cancerígenas y ralentice su crecimiento. No funcionaba en aproximadamente el setenta por ciento de los pacientes, pero en mi caso funcionó. Los tumores se redujeron.

Y siguieron reducidos. ¡Viva el Phalanxifor! En el último año y medio, apenas han aumentado las metástasis, lo que me permite tener unos pulmones de mierda, pero que seguramente pueden seguir luchando indefinidamente con oxígeno y Phalanxifor diario.

Tengo que admitir que mi milagro solo me había permitido ganar algo de tiempo. (Todavía no sabía cuánto sería ese algo.) Pero, cuando se lo conté a Augustus Waters, pinté un cuadro lo más optimista posible y exageré el carácter milagroso del milagro.

—Entonces ahora tendrás que volver al colegio —me dijo.

—La verdad es que no puedo —le expliqué—, porque ya tengo el título de secundaria, así que voy al MCC.

El MCC era la universidad de nuestra ciudad.

—Una universitaria —me dijo asintiendo—. Eso explica ese aire sofisticado.

Me sonrió con complicidad. Le di un golpecito de broma en el brazo y noté sus músculos bajo la piel, tensos e impresionantes.

Las ruedas chirriaron al girar hacia una parcela con muros estucados de unos dos metros y medio de altura. Su casa era la primera a la izquierda, una casa colonial de dos plantas. Nos detuvimos en el camino dando botes.

Lo seguí hasta la casa. En la entrada había una placa con la inscripción «El hogar está donde está el corazón», en letra cursiva, y toda la casa resultó estar adornada con este tipo de frases. «Es difícil encontrar buenos amigos, e imposible olvidarlos», se leía en una estampa colgada encima del perchero. «El amor verdadero nace de los tiempos difíciles», aseguraba un cojín bordado de la sala de estar, decorada con muebles antiguos. Augustus me vio leyéndolas.

—Mis padres las llaman «estímulos» —me explicó—. Están por toda la casa.

Sus padres lo llamaban Gus. Estaban en la cocina preparando enchiladas (junto al fregadero había una pequeña vidriera en la que se leía en letras adhesivas «La familia es para siempre»). Su madre echaba pollo en las tortillas, que su padre enrollaba y colocaba en una bandeja de cristal. No pareció sorprenderles mucho mi llegada, y era lógico. El hecho de que Augustus me hiciera sentir especial no quería necesariamente decir que fuera especial. Quizá llevaba a casa a una chica diferente cada noche para ver una película y meterle mano.

—Ella es Hazel Grace —dijo Augustus.

—Solo Hazel —lo corregí.

—¿Cómo estás, Hazel? —me preguntó el padre de Gus. Era alto —casi tan alto como su hijo— y mucho más delgado que la mayoría de los padres.

—Muy bien —le contesté.

—¿Qué tal el grupo de apoyo de Isaac?

—Increíble —le contestó Gus.

—Tú siempre tan positivo… —dijo su madre—. ¿A ti te gusta, Hazel?

Me quedé un segundo en silencio, pensando si tenía que calibrar mi respuesta para complacer a Augustus o a sus padres.

—Casi todos son muy simpáticos —le contesté por fin.

—Exactamente lo que pensamos nosotros de las familias a las que conocimos en el Memorial cuando Gus estaba en tratamiento —dijo su padre—. Todos eran muy amables. Y también muy fuertes. En los días más oscuros el Señor te pone en el camino a las mejores personas.

—Dadme un cojín e hilo, deprisa, que esto tiene que ser un estímulo —añadió Augustus.

Su padre pareció un poco molesto, pero Gus le pasó su largo brazo alrededor del cuello.

—Es una broma, papá —le respondió—. Me gustan esos putos estímulos. De verdad. Pero no puedo admitirlo porque soy un adolescente.

Su padre puso los ojos en blanco.

—Te quedarás a cenar, ¿verdad? —me preguntó su madre. Era bajita, morena y algo tímida.

—No sé —le contesté—. Tengo que estar en casa a eso de las diez, y además… no como carne.

—No hay problema. Prepararemos algo vegetariano —me contestó.

—¿Qué pasa, que los animales son muy bonitos? —preguntó Gus.

—Quiero ser responsable de las mínimas muertes posibles —le dije.

Gus abrió la boca para contestarme, pero se detuvo.

Su madre llenó el silencio.

—Bueno, a mí me parece fantástico.

Me hablaron un rato de las famosas enchiladas de los Waters, de que no podía perdérmelas, de que el toque de queda de Gus también era a las diez, de que instintivamente desconfiaban de todos los padres que no obligaban a sus hijos a volver a casa a las diez, de si iba al colegio —«va a la universidad», terció Augustus—, de que el tiempo era absolutamente extraordinario para ser marzo, de que en primavera todo renace, y ni una sola vez me preguntaron por el oxígeno ni por mi diagnóstico, cosa rara y sorprendente.

—Hazel y yo vamos a ver *V de vendetta* para que se dé cuenta de que es la doble de la Natalie Portman de mediados de la década de 2000 —dijo por fin Augustus.

—Pueden verla en la tele del comedor —le contestó alegremente su padre.

—Creo que vamos a verla al sótano.

Su padre se rió.

—Buen intento, pero la verán en el comedor.

—Es que quiero enseñarle a Hazel Grace el sótano —le replicó Augustus.

—Solo Hazel —lo corregí.

—Pues enséñale a Solo Hazel el sótano —dijo su padre—, y luego suben y ven la película en el comedor.

Augustus resopló, se apoyó sobre su pierna, giró las caderas y tiró de la prótesis.

—Muy bien —murmuró.

Lo seguí por la escalera enmoquetada hasta un enorme dormitorio en el sótano. Un estante a la altura de mis ojos rodeaba toda la habitación y estaba lleno de objetos que tenían que ver con el baloncesto: decenas de trofeos con hombres de plástico saltando, driblando o entrando a una canasta invisible. También había muchos balones y zapatillas de deporte firmados.

—Jugaba al baloncesto —me explicó.

—Tenías que ser muy bueno.

—No era malo, pero todas esas zapatillas y esos balones son premios de consolación por tener cáncer.

Fue hacia la tele, junto a la que había una enorme pirámide de DVD y videojuegos. Se inclinó y cogió *V de vendetta*.

—Yo era el prototipo de niño blanco de Indiana —dijo—. Me dedicaba a resucitar el olvidado arte del tiro a canasta desde media distancia, pero un día me puse a lanzar tiros libres. Me coloqué en la línea de tiros libres del gimnasio de North Central, cogía las pelotas de un portabalones y las lanzaba. Pero de repente me pregunté por qué me pasaba horas lanzando un objeto esférico a través de una circunferencia hueca. Me pareció que no podría estar haciendo nada más estúpido.

»Empecé a pensar en los niños pequeños que meten un tubo cilíndrico por una anilla, en que, en cuanto aprenden, lo hacen una y otra vez durante meses, y pensé que el baloncesto era una versión un poquito más aeróbica de ese mismo ejercicio. Pero, bueno, casi todo el tiempo seguí lanzando tiros libres. Metí ochenta seguidos, mi mejor marca, pero, a medida que lo hacía, me sentía cada vez más como un niño de dos años. Y entonces, no sé por qué, empecé a pensar en los corredores de vallas. ¿Estás bien?

Me había sentado en una esquina de su cama deshecha. No es que intentara provocarle. Sencillamente, me cansaba cuando estaba de pie mucho rato. Había estado de pie en el comedor, había bajado la escalera y luego había seguido de pie, y era mucho para mí, de modo que no quería acabar desmayándome. Era como una de esas damas victorianas que se pasan el día desmayándose.

—Estoy bien —le contesté—. Te escuchaba. ¿Corredores de vallas?

—Sí, corredores de vallas. No sé por qué. Empecé a pensar en ellos corriendo sus carreras y saltando por encima de esos objetos totalmente arbitrarios que habían colocado a su paso. Y me pregunté si los corredores de vallas pensaban alguna vez que irían más rápido si quitaran las vallas.

—¿Eso fue antes de que te diagnosticaran cáncer? —le pregunté.

—Sí, claro, también estaba ese tema. —Esbozó una media sonrisa—. El día de los angustiados tiros libres fue precisamente mi último día con dos piernas. Pasó una semana entre que programaron que me amputarían la pierna y la operación. Es un poco lo que está pasándole a Isaac.

Asentí. Me gustaba Augustus Waters. Me gustaba mucho, mucho, mucho. Me gustaba que hubiera terminado su historia nombrando a otra persona. Me gustaba su voz. Me gustaba que hubiera lanzado tiros libres angustiados. Me gustaba que fuera profesor titular en el Departamento de Sonrisas Ligeramente Torcidas y que compaginara ese puesto con el de profesor del Departamento de Voces Que Hacen Que Mi Piel Se Sienta Piel. Y me gustaba que tuviera dos nombres. Siempre me han gustado las personas con dos nombres, porque tienes que decidir cómo las llamas. ¿Augustus o Gus? Yo siempre había sido Hazel y solo Hazel.

—¿Tienes hermanos? —le pregunté.

—¿Cómo? —me preguntó a su vez con aire distraído.

—Has comentado eso de que imaginabas a niños pequeños jugando…

—No, no. Tengo sobrinos, de mis hermanastras. Pero ellas son mayores. Tienen unos… PAPÁ, ¿CUÁNTOS AÑOS TIENEN JULIE Y MARTHA? —preguntó a gritos.

—Veintiocho —le contestó su padre.

—Veintiocho años —siguió diciéndome—. Viven en Chicago. Las dos están casadas con abogados prominentes. O banqueros, no me acuerdo. ¿Tú tienes hermanos?

Negué con la cabeza.

—Cuéntame tu historia —me pidió mientras se sentaba a mi lado, a una distancia prudente.

—Ya te he contado mi historia. Me diagnosticaron cáncer cuando…

—No, no la historia de tu cáncer. Tu historia. Lo que te interesa, tus aficiones, tus pasiones, tus manías, etcétera.

—Pues…

—No me digas que eres una de esas personas que se convierten en su enfermedad. Conozco a muchos. Es descorazonador. El cáncer es un negocio en expansión, ¿no? El negocio de absorber a la gente. Pero seguro que no le has permitido que lo consiga antes de tiempo.

Se me ocurrió que quizá sí lo había permitido. Me planteé cómo presentarme a mí misma ante Augustus Waters, qué decirle que me entusiasmaba, y en el silencio que siguió pensé que no era una persona muy interesante.

—Soy bastante normal.

—Me niego rotundamente. Piensa en algo que te guste. Lo primero que se te pase por la cabeza.

—Pues... ¿leer?

—¿Qué lees?

—De todo. Desde espantosas novelas rosas hasta novelas pretenciosas y poesía. Lo que sea.

—¿También escribes poesía?

—No, no escribo.

—¡Ahí está! —exclamó Augustus—. Hazel Grace, eres la única adolescente de todo el país que prefiere leer poesía a escribirla. Eso dice mucho de ti. Lees muchos libros buenos, ¿verdad?

—Supongo.

—¿Cuál es tu favorito?

—Pues... —le contesté.

Mi libro favorito, con diferencia, era *Un dolor imperial*, pero no me gustaba decirlo. Algunas veces lees un libro, sientes un extraño afán evangelizador y estás convencido de que este desastrado mundo no se recuperará hasta que todos los seres humanos lo lean. Y luego están los libros como *Un dolor imperial*, de los que no puedes hablar con nadie, libros tan especiales, escasos y tuyos que revelar el cariño que les tienes parece una traición.

No se trataba de que el libro fuera tan bueno, sino sencillamente de que su autor, Peter van Houten, parecía entenderme de una manera extraña, casi imposible. *Un dolor imperial* era mi libro, como mi cuerpo era mi cuerpo y mis pensamientos eran mis pensamientos.

Aun así, dije a Augustus:

—Mi libro favorito es seguramente *Un dolor imperial.*

—¿Es un libro de zombis? —me preguntó.

—No —le respondí.

—¿Soldados?

Negué con la cabeza.

—No va de ese tema.

Sonrió.

—Leeré ese espantoso libro con ese título aburrido que no es de soldados —me respondió.

Inmediatamente sentí que no debería habérselo dicho. Augustus se volvió hacia una pila de libros de su mesita de noche. Cogió uno y un boli.

—Lo único que te pido a cambio —me dijo mientras garabateaba algo en la primera página— es que leas esta brillante e inolvidable novela sobre mi videojuego favorito.

Sostuvo el libro, que se titulaba *El precio del amanecer*. Me reí y alargué el brazo. Al ir a cogerlo, mi mano tropezó con la suya, y Augustus me la sujetó.

—Está fría —añadió presionando un dedo contra mi pálida muñeca.

—No tan fría para estar infraoxigenada —le respondí.

—Me encanta cuando hablas como un médico —me dijo.

Se levantó, tiró de mí y no me soltó la mano hasta que llegamos a la escalera.

Vimos la película separados por varios centímetros de sofá. Hice la total cursilada de colocar la mano en el sofá, a medio camino entre nosotros, para que supiera que podía cogerme, pero no lo intentó. Cuando llevábamos una hora de película, los padres de Augustus entraron y nos sirvieron las enchiladas, que nos comimos en el sofá y que estaban buenísimas.

La película iba sobre un tipo enmascarado que moría heroicamente por Natalie Portman, una tía muy guapa y muy sensual, nada que ver con mi cara, hinchada como un globo.

—Muy buena, ¿no? —me dijo Augustus mientras salían los créditos.

—Muy buena —le contesté.

Aunque en realidad no estaba de acuerdo. Era una película para chicos. No sé por qué los chicos esperan que nos gusten las películas para chicos. Nosotras no esperamos que les gusten las películas para chicas.

—Debería irme a casa. Mañana por la mañana tengo clase —le dije.

Me quedé un momento sentada, mientras Augustus buscaba las llaves. Su madre se sentó a mi lado.

—Este me encanta. ¿A ti no?

Supongo que yo estaba mirando el estímulo de encima de la tele, un dibujo de un ángel con la leyenda: «Sin dolor, ¿cómo conoceríamos el placer?».

(Podríamos analizar este estúpido y poco sofisticado argumento sobre el sufrimiento durante siglos, pero baste con decir que la existencia del brócoli en ningún caso afecta al gusto del chocolate.)

—Sí —le contesté—. Una idea preciosa.

De vuelta a mi casa me senté al volante, con Augustus en el asiento del copiloto. Me puso un par de canciones que le gustaban de un grupo que se llamaba The Hectic Glow, y estaban bien, pero, como no me las sabía, no me parecieron tan buenas como a él. Yo no dejaba de echar vistazos a su pierna, o al lugar en el que había estado, intentando imaginar cómo era la pierna falsa. No quería que me importara, pero me importaba un poco. Seguramente a él le importaba mi oxígeno. La enfermedad genera rechazo. Lo había aprendido hacía mucho tiempo, y suponía que Augustus también.

Cuando estuvimos ya cerca de mi casa, Augustus apagó la radio. El aire se volvió denso. Muy probablemente pensaba en besarme, y sin duda yo pensaba en besarlo a él. Me preguntaba si quería. Había besado a chicos, pero hacía ya tiempo, antes del milagro.

Estacioné el carro y lo miré. Era realmente guapo. Ya sé que se supone que los chicos no lo son, pero él lo era.

—Hazel Grace —me dijo, y mi nuevo nombre sonaba más bonito en su voz—. Ha sido un verdadero placer conocerte.

—Lo mismo digo, señor Waters —le contesté.

Al mirarlo, sentí un ataque de timidez. No podía sostener la intensidad de sus ojos azules.

—¿Puedo volver a verte? —me preguntó.

Su voz sonó nerviosa, y me pareció entrañable.

—Claro —le contesté sonriendo.

—¿Mañana? —me preguntó.

—Paciencia, saltamontes —le aconsejé—. No querrás parecer ansioso…

—No, por eso te he dicho mañana —me contestó—. Quisiera volver a verte hoy mismo, pero estoy dispuesto a esperar toda la noche y buena parte de mañana.

Puse los ojos en blanco.

—Lo digo en serio —añadió.

—Ni siquiera me conoces —le dije.

Cogí el libro del salpicadero.

—¿Qué te parece si te llamo cuando lo haya leído? —le pregunté.

—No tienes mi número de teléfono.

—Tengo la firme sospecha de que lo has anotado en el libro.

Sonrió de oreja a oreja.

—Y luego dices que no nos conocemos…

Capítulo 3

Aquella noche me quedé hasta muy tarde leyendo *El precio del amanecer*. (Les fastidio el final: el precio del amanecer es sangre.) No era *Un dolor imperial*, pero el protagonista, el sargento Max Mayhem, no era del todo antipático pese a matar, según mis cuentas, a como mínimo ciento dieciocho personas en doscientas ochenta y cuatro páginas.

A la mañana siguiente, jueves, me levanté tarde. Mi madre nunca me despertaba, porque uno de los requisitos del enfermo profesional es dormir mucho, de modo que al principio, cuando me desperté sobresaltada con sus manos en mis hombros, me quedé un poco confundida.

—Son casi las diez —me dijo.

—Dormir va bien para el cáncer —le contesté—. Me quedé leyendo hasta muy tarde.

—Debe de ser un libro bueno —me dijo.

Se arrodilló junto a la cama y me desenroscó del gran concentrador rectangular de oxígeno, al que yo llamaba Philip, porque tenía cara de llamarse Philip.

Mi madre me enganchó a una bombona portátil y me recordó que tenía clase.

—¿Te lo ha pasado ese chico? —me preguntó de repente.

—¿Te refieres al herpes?

—Te pasas —me dijo mi madre—. Al libro, Hazel. Me refiero al libro.

—Sí, me lo ha pasado él.

—Juraría que te gusta —me dijo alzando las cejas, como si a aquella conclusión solo pudiera llegar el instinto de una madre.

Me encogí de hombros.

—Te dije que el grupo de apoyo te compensaría.

—¿Estuviste esperando fuera todo el rato?

—Sí. Llevaba algo para leer. Bueno, ha llegado el momento de plantarle cara al día, jovencita.

—Mamá, tengo sueño, y cáncer, y tengo que luchar contra él.

—Lo sé, cariño, pero tienes que ir a clase. Además hoy es...

Mi madre no podía disimular su alegría.

—¿Jueves?

—¿De verdad lo has olvidado?

—Puede ser.

—¡Es jueves, 29 de marzo! —exclamó con una sonrisa de loca dibujada en su cara.

—¡Ya veo que te entusiasma saber qué día es! —dije también yo a gritos.

—¡HAZEL! ¡ES TU MEDIO TREINTA Y TRES CUMPLEAÑOS!

—Ohhhhhh —dije.

Mi madre era toda una especialista en celebraciones. ¡ES EL DÍA DEL ÁRBOL! ¡VAMOS A ABRAZAR ÁRBOLES Y A

COMER PASTEL! ¡COLÓN TRAJO LA VIRUELA A LOS NATIVOS, ASÍ QUE TENEMOS QUE REMEMORAR LA OCASIÓN CON UN PICNIC!, etcétera.

—Bueno, pues feliz medio treinta y tres cumpleaños para mí.

—¿Qué quieres hacer en este día tan especial?

—¿Volver de clase y batir el récord mundial de ver episodios seguidos de *Top Chef*?

Mi madre alzó el brazo hacia un estante por encima de mi cama y cogió a Bluie, el oso azul de peluche que me habían regalado cuando tenía más o menos un año, en aquellos tiempos en que era políticamente correcto llamar a los amigos por su color.

—¿No quieres ir al cine con Kaitlyn, con Matt o con quien sea?

Kaitlyn y Matt eran amigos míos.

Era una buena idea.

—Claro —le contesté—. Voy a mandarle un mensaje a Kaitlyn para preguntarle si quiere ir al centro comercial o a algún sitio después de clase.

Mi madre sonrió y apretó el oso contra su barriga.

—¿Todavía se hace eso de ir al centro comercial? —me preguntó.

—Me siento muy orgullosa de no saber lo que se hace —le respondí.

Mandé un mensaje a Kaitlyn, me duché, me vestí y mi madre me llevó a la facultad. Tenía clase de literatura estadounidense, una conferencia de hora y media sobre Frederick Douglass en un auditorio casi vacío, y me resultaba increíblemente difícil no quedarme dormida. A los cuarenta minutos de empezada la clase, Kaitlyn me contestó al mensaje.

Flipante. Feliz medio cumpleaños. Castleton a las 15.32?

La vida social de Kaitlyn era tan agitada que tenía que organizársela al minuto. Le respondí:

Perfecto. Estaré en la zona de los restaurantes.

Mi madre me llevó en auto directamente de la facultad a la librería del centro comercial, donde compré *Amanecer de medianoche* y *Réquiem por Mayhem*, la segunda y tercera partes de *El precio del amanecer*, y después me dirigí a la enorme zona de los restaurantes y me compré una Coca-Cola *light*. Eran las 15.21.

Mientras leía, observé a dos niños jugando en un barco pirata del parque infantil. Se arrastraban por el túnel una y otra vez, y nunca parecían cansarse, lo que me hizo pensar en Augustus Waters y en los tiros libres angustiados.

Mi madre estaba también en la zona de los restaurantes, sola, sentada en una esquina desde la que pensaba que no podía verla, comiéndose un bocadillo de carne con queso y leyendo unos papeles. Seguramente cosas médicas. El papeleo era interminable.

A las 15.32 en punto vi a Kaitlyn pasando a grandes zancadas por delante de la Wok House. Me vio en el momento en que levanté la mano, me lanzó una sonrisa, que dejó al descubierto sus dientes blanquísimos y recién arreglados, y vino hacia mí.

Llevaba un abrigo gris hasta las rodillas, que le sentaba muy bien, y unas gafas de sol enormes. Se las colocó sobre la cabeza mientras se inclinaba para abrazarme.

—¿Cómo estás, guapa? —me preguntó con acento ligeramente británico.

A nadie le parecía que su acento era extraño o desagradable. Sencillamente, Kaitlyn era una supersofisticada británica de la *jet set* de veinticinco años en el cuerpo de una chica de dieciséis de Indianápolis. Todo el mundo lo aceptaba.

—Bien, ¿y tú?

—Ya ni lo sé. ¿Es *light*?

Asentí y le pasé la Coca-Cola. Sorbió por el pitillo.

—Ojalá estuvieras en el colegio últimamente. Algunos chicos están ahora de lo más apetecible.

—¿En serio? ¿Quiénes? —le pregunté.

Me nombró a cinco chicos con los que habíamos ido a clase en primaria, pero no recordaba a ninguno de ellos.

—He salido unas cuantas veces con Derek Wellington —me dijo—, aunque no creo que dure. Es un bebé. Pero dejemos ya mi vida. ¿Qué hay de nuevo en los mundos de Hazel?

—La verdad es que nada —le contesté.

—¿La salud qué tal?

—Como siempre, supongo.

—¡Phalanxifor! —exclamó sonriendo—. Entonces vivirás para siempre, ¿no?

—No creo que para siempre —le contesté.

—Pero casi —me dijo—. ¿Más novedades?

Pensé en contarle que también yo estaba saliendo con un chico, o al menos que había visto una película con él, porque sabía que le sorprendería que una chica tan desaliñada, torpe y raquítica como yo pudiera ganarse las simpatías de un chico, aunque fuera por poco tiempo, pero la verdad es que no tenía mucho de lo que presumir, así que me limité a encogerme de hombros.

—¿Qué demonios es eso? —me preguntó Kaitlyn señalando el libro.

—Ah, es ciencia ficción. Estoy aficionándome. Es una serie.

—Miedo me das. ¿Vamos a comprar?

Fuimos a una zapatería. Mientras comprábamos, Kaitlyn no dejaba de señalar zapatos bajos y abiertos, y de decirme: «Estos te sentarían de maravilla», lo que me recordó que Kaitlyn nunca llevaba zapatos abiertos, porque odiaba sus pies. Creía que tenía los índices demasiado largos, como si los índices fueran una ventana que daba al alma o algo así. Por eso, cuando le señalé unas sandalias que iban muy bien con el tono de su piel, me dijo: «Sí, pero...», y el pero significaba que dejarían al aire sus espantosos índices.

—Kaitlyn, eres la única persona que conozco con dismorfia en los dedos del pie —le dije.

—¿Qué es eso? —me preguntó.

—Pues como cuando te miras en el espejo y lo que ves no es lo que realmente es.

—Vaya —me dijo—. ¿Estos te gustan?

Me mostró un par de merceditas monas, aunque nada del otro mundo. Asentí, buscó su número y se las probó. Recorrió el pasillo de punta a punta mirándose los pies en los espejos angulares. Luego cogió unos zapatos con plataforma.

—¿Se puede andar con esto? Vaya, yo directamente me moriría.

De repente se calló y me miró como pidiéndome perdón, como si fuera un crimen mencionar la muerte ante un moribundo.

—Deberías probártelos —siguió diciendo para disimular su incomodidad.

—Antes me muero —le aseguré.

Acabé eligiendo unas chanclas por comprar algo. Luego me senté en un banco frente a una estantería de zapatos y observé a Kaitlyn serpenteando por los pasillos, comprando con una intensidad y una concentración propias de un jugador de ajedrez profesional. Me apetecía sacar *Amanecer de medianoche* y leer un rato, pero sabía que sería grosero, de modo que me limité a observar a Kaitlyn. De vez en cuando se acercaba a mí aferrando unos zapatos cerrados a modo de presa, me preguntaba: «¿Estos?», y yo intentaba hacer un comentario inteligente sobre los zapatos. Al final compró tres pares, y yo me llevé mis chanclas.

—¿Vamos a Anthropologie? —me preguntó mientras salíamos.

—La verdad es que debería volver a casa —le contesté—. Estoy un poco cansada.

—Claro, claro —me dijo—. Tengo que verte más a menudo.

Apoyó las manos en mis hombros, me besó en las mejillas y se marchó meneando sus estrechas caderas.

Pero no volví a casa. Le había dicho a mi madre que pasara a recogerme a las seis y, aunque suponía que estaba en el centro comercial o en el parqueadero, quería las dos horas que me quedaban para mí.

Me llevaba bien con mi madre, pero el hecho de que se pasara el día pegada a mí me ponía a veces de los nervios. Y Kaitlyn también me caía bien, de verdad, aunque, como hacía tres años que no pasaba el día con mis compañeros de clase, sentía cierta distancia insalvable entre nosotras. Creo que mis compañeros querían ayudarme a sobrellevar el cáncer, pero al final se dieron cuenta de que no podían, y por una razón: el cáncer no se sobrelleva.

Por eso me excusaba en el dolor y el cansancio, como había hecho a menudo en los últimos años cuando quedaba con Kaitlyn o con cualquiera de mis amigos. La verdad es que siempre sentía dolor. Siempre me duele no respirar como una persona normal, tener que recordar todo el tiempo a tus pulmones que sean pulmones, obligarte a aceptar que el dolor de la infraoxigenación, que te araña y te desgarra por dentro, es inevitable. De modo que, en sentido estricto, no mentía. Sencillamente, elegía qué verdad decir.

Encontré un banco junto a una tienda de objetos de regalo irlandeses, el Fountain Pen Emporium, y otra de gorras de béisbol, en un rincón del centro comercial en el que Kaitlyn nunca compraría, y empecé a leer *Amanecer de medianoche*.

Aparecía un cadáver prácticamente en cada frase, y empecé a devorar el libro sin levantar siquiera los ojos. Me gustó el sargento Max Mayhem, aunque no era un personaje demasiado coherente, pero lo que más me gustaba era que no dejaba de vivir aventuras. Siempre había malos a los que matar y buenos a los que salvar. Empezaban nuevas guerras antes de haber ganado las antiguas. No había leído una serie de este tipo desde que era niña, y me entusiasmaba volver a sumergirme en la infinita ficción.

A veinte páginas del final de *Amanecer de medianoche* las cosas empezaron a ponerse crudas para Mayhem, porque le pegaron diecisiete tiros mientras intentaba rescatar a una rehén (rubia y estadounidense) capturada por el enemigo. Pero no me desesperé. La guerra seguiría sin él. Podría haber —y habría— secuelas protagonizadas por su equipo: el cabo Manny Loco, el soldado Jasper Jacks y los demás.

Había llegado casi al final cuando apareció frente a mí una niña con trenzas.

—¿Qué tienes en la nariz? —me preguntó.

—Se llama cánula —le contesté—. Estos tubos me dan oxígeno y me ayudan a respirar.

Su madre llegó corriendo.

—Jackie —le dijo con tono de reproche.

—No hay problema —le comenté.

Porque realmente no había problema.

—¿Pueden ayudarme a respirar también a mí? —me preguntó Jackie.

—Ni idea. Vamos a probarlo.

Me saqué la cánula y dejé que Jackie se la pegara a la nariz y respirara.

—Hace cosquillas.

—Ya lo sé. ¿Funciona?

—Creo que respiro mejor —me contestó.

—¿Sí?

—Sí.

—Bueno, ojalá pudiera dártelos, pero la verdad es que los necesito —le dije.

Estaba sintiendo ya su ausencia. Me concentré en respirar mientras Jackie me devolvía los tubos. Los limpié un poco con mi camiseta, me los pasé por detrás de las orejas y me los introduje de nuevo en la nariz.

—Gracias por dejarme probarlos —me dijo la niña.

—De nada.

—Jackie —volvió a decir su madre.

Esta vez dejé que se marchara.

Volví al libro. El sargento Max Mayhem se lamentaba de tener una sola vida que dar por su patria, pero yo seguí pensando en la niña, que me había caído muy bien.

Creo que otro problema con Kaitlyn era que ya no podría volver a hablar con ella con naturalidad. Todo intento de fingir interacciones sociales normales era deprimente, porque era absolutamente obvio que todas las personas con las que hablara hasta el fin de mis días se sentirían incómodas y cohibidas conmigo, excepto quizá los niños como Jackie, que no sabían nada del tema.

En cualquier caso, la verdad es que me gustaba estar sola. Me gustaba estar a solas con el pobre sargento Max Mayhem, que… Oh, vamos, no va a sobrevivir a los diecisiete tiros, ¿verdad?

(Fastidio el final: se salva.)

Capítulo 4

Aquella noche me fui a dormir temprano. Me puse unos bóxers y una camiseta, y me metí bajo las mantas de mi cama, que era de matrimonio y con almohada, y uno de mis lugares favoritos del mundo. Una vez dentro, empecé a leer *Un dolor imperial* por enésima vez.

El libro va de una chica llamada Anna (que narra la historia) y su madre tuerta, una jardinera profesional obsesionada con los tulipanes. Llevan una vida normal de clase media-baja en una pequeña ciudad del centro de California hasta que Anna sufre un raro cáncer en la sangre.

Pero no es un libro sobre el cáncer, porque los libros sobre el cáncer son una mierda. En los libros sobre el cáncer, el enfermo organiza una obra benéfica para recaudar fondos para luchar contra el cáncer, ¿verdad? Y esta dedicación a la obra benéfica le recuerda que la humanidad es básicamente buena y le hace sentirse querido y animado porque dejará un legado para curar el cáncer. Pero en *Un dolor imperial* Anna decide que ser una persona con cáncer que organiza una obra benéfica contra el cáncer es un poco narcisista, de modo que crea la Fundación Anna para Gente con Cáncer que Quiere Curar el Cólera.

Además Anna es mucho más sincera que nadie con todo este tema. A lo largo del libro alude a sí misma como «el efecto colateral», lo cual es del todo correcto. Los niños con cáncer son básicamente efectos colaterales de la incesante mutación que hace posible la diversidad en la Tierra. A medida que avanza la historia, está cada vez más enferma, los tratamientos y la enfermedad compiten por acabar con ella, y su madre se enamora de un comerciante de tulipanes holandés al que Anna llama el Tulipán Holandés. El tipo tiene mucho dinero y un sinfín de ideas excéntricas sobre cómo tratar el cáncer, pero Anna cree que puede ser un farsante y que seguramente ni siquiera es holandés, y entonces, cuando el presunto holandés y su madre están a punto de casarse y Anna va a empezar una dieta a base de pasto de trigo y pequeñas dosis de arsénico, el libro acaba en la mitad de una…

Sé que es una opción muy literaria y todo eso, y seguramente es una de las razones por las que me gusta tanto el libro, pero lo recomendable es que la historia acabe. Y si no puede acabar, al menos debería seguir indefinidamente, como las aventuras del equipo del sargento Max Mayhem.

Entendí que la historia acababa porque Anna se moría o se ponía demasiado enferma para escribir, y se suponía que aquella interrupción en mitad de la frase reflejaba cómo termina la vida realmente, pero en la historia había otros personajes además de Anna, así que me parecía injusto que nunca llegara a saber lo que pasó con ellos. Había escrito un montón de cartas a Peter van Houten, que enviaba a su editor, preguntándole qué sucede después de que él dé por finalizada la historia, si el Tulipán Holandés es un farsante, si la madre de Anna acaba casándose con él, qué pasa con el estúpido hámster de Anna (al que su madre odia), si los amigos de Anna acaban el bachillerato y cosas por el estilo, pero nunca respondió a ninguna de mis cartas.

Un dolor imperial era el único libro de Peter van Houten, y lo único que parecía saberse de él era que después de que apareciera publicado se marchó de Estados Unidos y se instaló en Holanda, donde vivía recluido. Imaginaba que estaba trabajando en una segunda parte ambientada en Holanda. Quizá la madre de Anna y el Tulipán Holandés acaban trasladándose allí e intentando empezar una nueva vida. Pero desde la publicación del libro habían pasado diez años, y Van Houten no había publicado ni un post en un blog. No podía esperar eternamente.

Aquella noche, mientras releía el libro, me distraía cada dos por tres imaginando a Augustus Waters leyendo las mismas palabras que yo. Me preguntaba si le gustaría o si lo descartaría por pretencioso. Entonces recordé que le había prometido llamarlo en cuanto hubiera leído *El precio del amanecer*, así que busqué su número en la primera página y le mandé un mensaje.

Crítica de «El precio del amanecer»: demasiados muertos. Muy pocos adjetivos. ¿Qué tal «Un dolor imperial»?

Me respondió un minuto después:

Si no recuerdo mal, me prometiste LLAMARME cuando hubieras acabado el libro, no mandarme un mensaje.

Así que lo llamé.

—Hazel Grace —dijo nada más descolgar.

—¿Lo has leído?

—Bueno, no lo he terminado. Tiene seiscientas cincuenta y una páginas, y solo he tenido veinticuatro horas.

—¿Por dónde vas?

—Cuatrocientas cincuenta y tres.

—¿Y?

—Me reservo la opinión hasta que haya acabado. Pero tengo que decirte que me siento un poco mal por haberte pasado *El precio del amanecer*.

—No te sientas mal. Ya estoy en el *Réquiem por Mayhem*.

—Te has enganchado a la serie. Pero, dime, ¿el tipo de los tulipanes es un timador? Me da mala espina.

—No voy a contarte el final —le dije.

—Si no es un perfecto caballero, le sacaré los ojos.

—Sí que te has metido en la historia…

—¡Me reservo la opinión! ¿Cuándo nos vemos?

—Sin duda no hasta que hayas acabado *Un dolor imperial*.

Me divertía darle largas.

—Entonces mejor cuelgo y sigo leyendo.

—Sí, mejor —le contesté.

Y colgó sin decir una palabra más.

Coquetear era nuevo para mí, pero me gustaba.

A la mañana siguiente me tocaba poesía estadounidense del siglo XX en la facultad. La vieja profesora consiguió hablar durante hora y media sobre Sylvia Plath sin citar una sola palabra suya.

Cuando salí de clase, mi madre estaba en el andén, frente al edificio.

—¿Has estado esperándome todo el rato? —le pregunté mientras me ayudaba a meter el carro y el tanque en el coche.

—No. He recogido la ropa de la lavandería y he ido a correos.

—¿Y qué más?

—He traído un libro —me dijo.

—Y luego dirás que soy yo la que necesita una vida…

Sonreí. Mi madre intentó devolverme la sonrisa, pero no terminó de salirle.

—¿Quieres que vayamos al cine? —le pregunté un segundo después.

—Claro. ¿Quieres ver algo en concreto?

—Decidamos solo adónde ir, y vemos la primera película que empiece.

Cerró mi puerta y rodeó el auto hasta el lado del conductor Fuimos al teatro Castleton y vimos una película en 3-D sobre roedores que hablaban. La verdad es que fue divertida.

Cuando salí del cine, tenía cuatro mensajes de Augustus.

Dime que al libro le faltan las últimas veinte páginas.

Hazel Grace, dime que no he llegado al final del libro.

JODER SE CASAN O NO JODER QUÉ ES ESTO

Supongo que Anna se muere y por eso acaba…? CRUEL. Llámame cuando puedas. Espero que todo vaya bien.

Cuando llegué a casa, salí al patio trasero, me senté en una silla de hierro oxidada y lo llamé. Era un día nublado, típico de Indiana, ese tiempo que te invita a encerrarte. En medio del patio estaban los columpios de mi infancia, empapados y patéticos.

Augustus descolgó a la tercera señal.

—Hazel Grace —me dijo.

—Bienvenido a la dulce tortura de leer *Un dolor*…

Me detuve al oír fuertes sollozos al otro lado de la línea.

—¿Estás bien? —le pregunté.

—Perfectamente —me contestó—, pero estoy con Isaac, que parece justo lo contrario.

Más gemidos. Como los gritos de muerte de un animal herido.

—Hombre —dijo Gus dirigiéndose a Isaac—, ¿te importa que venga Hazel, la del grupo de apoyo? Isaac. MÍRAME.

Un minuto después Gus me dijo:

—¿Puedes venir a mi casa en unos veinte minutos?

—Claro —le contesté.

Y colgué.

Si se pudiera conducir en línea recta, desde mi casa a la de Augustus solo se tardaría unos cinco minutos, pero no se puede conducir en línea recta porque en medio está el Holliday Park.

Aunque era un inconveniente geográfico, el Holliday Park me gustaba mucho. Cuando era pequeña, me metía en el río White con mi padre, y siempre llegaba el gran momento en que me alzaba por los aires, me lanzaba, yo extendía los brazos como si volara, él los extendía también, y después ambos veíamos que nuestros brazos no iban a tocarse, que nadie iba a atraparme, y nos pegábamos un susto que nos cagábamos, y después caía al agua agitando las piernas, salía ilesa a la superficie a coger aire, y la corriente me arrastraba hasta él mientras decía: «Otra vez, papá, otra vez».

Estacioné en el camino de entrada, justo al lado de un viejo Toyota negro que supuse que era de Isaac. Me dirigí a la puerta arrastrando el carro con el tanque y llamé. Me abrió el padre de Gus:

—Solo Hazel. Encantado de verte.

—Augustus me ha pedido que viniera.

—Sí. Está con Isaac en el sótano.

En aquel momento se oyó un gemido procedente del piso de abajo.

—Debe de ser Isaac —me dijo el padre de Gus sacudiendo lentamente la cabeza—. Cindy ha tenido que salir. Los gritos… —dijo apartándose—. Bueno, supongo que te esperan abajo. ¿Quieres que te lleve el… tanque? —me preguntó.

—No, ya puedo, pero gracias, señor Waters.

—Mark —me contestó.

Me asustaba un poco bajar. Escuchar a gente berreando de sufrimiento no es uno de mis pasatiempos preferidos. Pero bajé.

—Hazel Grace —dijo Augustus en cuanto oyó mis pasos—. Isaac, está bajando Hazel, del grupo de apoyo. Hazel, te recuerdo que Isaac está en pleno ataque de locura.

Augustus e Isaac estaban sentados en el suelo, en sillas de juego con forma de eles inclinadas y mirando fijamente un televisor gigante. La pantalla estaba dividida en dos partes, la de Isaac a la izquierda, y la de Augustus a la derecha. Se veía a soldados luchando en una ciudad moderna bombardeada. Era la ciudad de *El precio del amanecer*. Mientras me acercaba no vi nada raro: dos chicos sentados a la pálida luz de un enorme televisor pretendiendo matar gente.

Pero, cuando llegué a su altura, vi la cara de Isaac. Las lágrimas resbalaban por sus mejillas enrojecidas, y su cara parecía una tensa máscara del dolor. Observaba fijamente la pantalla, sin lanzarme siquiera una mirada, y gritaba sin dejar de aporrear el mando.

—¿Qué tal, Hazel? —me preguntó Augustus.

—Muy bien —le contesté—. ¿Y tú, Isaac?

No me respondió. No hizo el menor signo de ser consciente de mi presencia. Sus lágrimas no dejaban de resbalar por su rostro hasta su camiseta negra.

Augustus apartó los ojos de la pantalla un segundo.

—Estás muy linda —me dijo.

Yo llevaba un vestido por debajo de las rodillas que tenía desde hacía muchísimo tiempo.

—Las chicas piensan que solo deben ponerse vestidos en ocasiones formales, pero a mí me gusta una mujer que dice: «Voy a ver a un chico que sufre un ataque de nervios, un chico cuya conexión con el sentido de la vista es más bien leve, así que, qué narices, voy a ponerme un vestido para él».

—Aunque Isaac no se digne ni mirarme —le contesté—. Supongo que sigue enamorado de Mónica.

Mis palabras provocaron un estruendoso sollozo.

—Es un tema un poco delicado —me explicó Augustus—. Isaac, no sé tú, pero tengo la ligera impresión de que nos están rodeando. —Y siguió diciéndome a mí—: Isaac y Mónica ya no salen juntos, pero no quiere hablar del tema. Solo quiere llorar y jugar a *Contrainsurgencia 2: El precio del amanecer*.

—Me parece muy bien —le contesté.

—Isaac, me preocupa cada vez más nuestra posición. Si te parece, avanza hasta aquella gasolinera, y yo te cubro.

Isaac corrió hacia un edificio anodino mientras Augustus le seguía los pasos disparando salvajes ráfagas de ametralladora.

—Pero puedes hablar con él, que no muerde —añadió Augustus—. Dale algún sabio consejo femenino.

—La verdad es que creo que seguramente su reacción es la normal —respondí mientras una ráfaga de Isaac mataba a un enemigo que había asomado la cabeza desde la carrocería calcinada de una camioneta.

Augustus asintió sin dejar de mirar la pantalla:

—Hay que sentir el dolor.

Era una frase de *Un dolor imperial.*

—¿Estás seguro de que no tenemos a nadie detrás? —preguntó a Isaac.

Al instante empezaron a silbar las balas por encima de sus cabezas.

—Joder, Isaac —dijo Augustus—. No quiero criticarte estando tan malo, pero por tu culpa nos hemos quedado apartados y ahora los terroristas tienen vía libre para llegar al colegio.

El personaje de Isaac salió corriendo hacia el fuego, zigzagueando por un estrecho callejón.

—Podrías ir hasta el puente y rodearlo —le dije.

Conocía aquella táctica gracias a *El precio del amanecer.*

Augustus suspiró.

—Desgraciadamente, el puente está todavía bajo control insurgente gracias a la dudosa estrategia de mi limitado equipo.

—¿A mí? —jadeó Isaac—. ¿A mí? Has sido tú el que ha propuesto que nos refugiáramos en la puta gasolinera.

Gus giró un segundo la cara de la pantalla y lanzó a Isaac una de sus sonrisas torcidas.

—Sabía que podías hablar, hombre —le dijo—. Venga, vamos a salvar a algunos niños virtuales.

Cruzaron juntos el callejón disparando y escondiéndose en los momentos adecuados, hasta que llegaron al colegio, una sala en un edificio de una sola planta. Se agacharon detrás de un muro al otro lado de la calle y se cargaron a los enemigos uno tras otro.

—¿Por qué quieren entrar en el colegio? —pregunté.

—Quieren a los niños como rehenes —me respondió Gus.

Sus hombros oscilaban por encima del mando mientras aporreaba los botones. En sus brazos tensos se marcaban las venas. Isaac se inclinó hacia la pantalla con el mando bailando entre sus delgados dedos.

—Dale, dale, dale —dijo Augustus.

Seguían llegando oleadas de terroristas, pero los derribaron a todos con disparos sorprendentemente precisos, como tenía que ser para que no dispararan al colegio.

—¡Granada! ¡Granada! —gritó Augustus cuando algo avanzó trazando un arco desde el fondo de la pantalla, se introdujo por la entrada del colegio y rodó hasta la puerta.

Isaac, decepcionado, soltó el mando.

—Si esos cabrones no pueden coger rehenes, los matarán y dirán que hemos sido nosotros.

—¡Cúbreme! —exclamó Augustus.

Saltó desde detrás del muro y corrió hacia el colegio. Isaac recuperó el mando a tientas y empezó a disparar mientras las balas llovían sobre Augustus, al que alcanzaron una vez, y luego otra, pero siguió corriendo. Gritó: «¡NO PUEDEN MATAR

A MAX MAYHEM!», y con una última combinación de botones se tiró encima de la granada, que detonó debajo de él. Su cuerpo desmembrado explotó como un géiser, y la pantalla se tiñó de rojo. Una voz ronca dijo: «MISIÓN NO CUMPLIDA», pero Augustus parecía no pensar lo mismo, porque sonreía viendo sus restos en la pantalla. Se metió una mano en el bolsillo, sacó un cigarro y se lo colocó entre los dientes.

—Los niños están salvados —dijo.

—Temporalmente —puntualicé.

—Toda salvación es temporal —dijo devolviéndome el disparo—. Los he salvado un minuto. Quizá es el minuto que los salva una hora, y esa hora los salva un año. Nadie va a salvarlos para siempre, Hazel Grace, pero mi vida los ha salvado un minuto, y menos es nada.

—Vale, de acuerdo —le contesté—. Solo estamos hablando de píxeles.

Se encogió de hombros, como si creyera que el juego era real. Isaac volvía a llorar. Augustus se giró bruscamente hacia él.

—¿Volvemos a intentarlo, cabo?

Isaac negó con la cabeza. Se inclinó sobre Augustus para mirarme.

—No quería hacerlo después —me dijo con las cuerdas vocales muy tensas.

—No quería dejar a un ciego —añadí yo.

Hizo un gesto afirmativo. Sus lágrimas parecían un silencioso metrónomo, constante e infinito.

—Dice que no puede sobrellevarlo —continuó—. Estoy a punto de perder la vista, y la que no puede sobrellevarlo es ella.

Pensé en la palabra «sobrellevar», en todas las cosas insoportables que se sobrellevan.

—Lo siento —le dije.

Se secó la cara mojada con una manga. Detrás de las gafas, los ojos de Isaac parecían tan grandes que todo el resto de su cara desaparecía y solo veía aquellos ojos incorpóreos y flotantes mirándome fijamente, uno real y el otro de cristal.

—Es inaceptable —me dijo—. Es totalmente inaceptable.

—Bueno —contesté—, para ser justos, en fin, seguramente es verdad que no puede sobrellevarlo. Tú tampoco, pero ella no tiene por qué sobrellevarlo. Y tú sí.

—Le he dicho «siempre» hoy, varias veces, «siempre, siempre, siempre», pero ella seguía hablando sin decírmelo. Era como si ya me hubiera marchado, ¿sabes? «Siempre» era una promesa. ¿Cómo puedes romper una promesa y quedarte tan ancho?

—A veces la gente no es consciente de lo que está prometiendo —añadí.

Isaac me lanzó una mirada.

—Vale, por supuesto, pero aun así mantienes la promesa. Eso es el amor. El amor es mantener las promesas pase lo que pase. ¿No crees en el amor verdadero?

No contesté, porque no sabía qué contestar, pero pensé que si el amor verdadero existía, la suya era una buena definición.

—Bueno..., yo creo en el amor verdadero —continuó Isaac—. Y la quiero. Y me lo prometió. Me prometió que sería para siempre.

Se levantó y avanzó un paso hacia mí. Yo me incorporé creyendo que quería que lo abrazara o algo así, pero se limitó a girar a un lado y a otro, como si no recordara por qué se había levantado, y entonces Augustus y yo vimos cómo la rabia invadía su rostro.

—Isaac —dijo Gus.

—¿Qué?

—Estás un poco… Perdona el doble sentido, colega, pero hay algo preocupante en tus ojos.

De pronto Isaac empezó a dar golpes a su silla, que salió disparada hacia la cama de Gus.

—Ya estamos —dijo Augustus.

Isaac se acercó de nuevo a la silla y volvió a golpearla.

—Sí —continuó Augustus—, vamos, dale un golpe fuerte a la silla.

Isaac volvió a dar patadas a la silla hasta que chocó contra la cama de Gus. Luego cogió una almohada y empezó a golpearla contra la pared, entre la cama y el estante de los trofeos.

Augustus me miró, con el cigarrillo todavía en la boca, y me lanzó una media sonrisa.

—No puedo dejar de pensar en ese libro.

—Lo sé.

—¿Nunca ha dicho qué pasa con los demás personajes?

—No —le contesté.

Isaac seguía machacando la pared con la almohada.

—Se trasladó a Amsterdam, lo que me hace pensar que quizá está escribiendo una segunda parte sobre el Tulipán Holandés, pero no ha publicado nada. Nunca lo entrevistan. No aparece en la red. Le he escrito un montón de cartas preguntándole qué pasa con los demás personajes, pero no me contesta, así que…

Me callé porque parecía que Augustus no estaba escuchándome. Miraba de reojo a Isaac.

—Espera —me dijo en voz baja.

Se acercó a Isaac y lo sujetó por los hombros.

—Las almohadas no se rompen, hombre. Inténtalo con algo que se rompa.

Isaac cogió un trofeo de baloncesto del estante de encima de la cama y lo mantuvo en alto, como esperando a que Augustus le diera permiso.

—Sí —le dijo Augustus—. ¡Sí!

El trofeo se hizo pedazos contra el suelo. El brazo del jugador de plástico salió disparado sin soltar la pelota. Isaac pisoteó el trofeo.

—¡Sí! —exclamó Augustus—. ¡Dale!

Y volvió a dirigirse a mí.

—Estaba pensando cómo decirle a mi padre que en realidad odio el baloncesto, pero creo que ya lo tenemos.

Los trofeos cayeron uno detrás del otro. Isaac los pisoteaba y gritaba mientras Augustus y yo nos manteníamos a unos pasos de distancia observando el ataque. Los pobres cuerpos destrozados de los jugadores de plástico cubrieron la alfombra. Una mano descoyuntada palmeando un balón por aquí, unas piernas sin torso saltando por allá… Isaac siguió atacando los trofeos, saltando encima de ellos con ambos pies, gritando, sin aliento, sudando, hasta que al final se desplomó sobre los fragmentos dentados.

Augustus se acercó a él y lo miró desde arriba.

—¿Te sientes mejor? —le preguntó.

—No —murmuró Isaac jadeando.

—Es lo que pasa con el dolor —dijo Augustus. Volvió la mirada hacia mí y añadió—: Hay que sentirlo.

Capítulo 5

No volví a hablar con Augustus en casi una semana. La noche de los trofeos rotos lo había llamado yo, así que lo normal en estos casos era esperar a que me llamara él. Pero no lo hizo. Sin embargo, no me pasaba todo el día con el teléfono en la mano sudorosa, mirándolo fijamente, vestida con mis mejores galas y esperando pacientemente a que mi caballero estuviera a la altura de su nombre. Seguí con mi vida. Una tarde quedé con Kaitlyn y su novio (lindo, pero nada augusto, la verdad) a tomar un café, ingerí mi dosis diaria de Phalanxifor, fui tres mañanas a mis clases de la facultad, y cada noche me senté a cenar con mis padres.

El domingo por la noche cenamos pizza de pimiento verde y brócoli. Estábamos en la cocina, sentados alrededor de nuestra pequeña mesa redonda, cuando empezó a sonar mi celular, pero no pude ir a ver quién era porque en casa teníamos la estricta norma de no contestar al teléfono mientras cenábamos.

Comí un poco mientras mis padres charlaban sobre el terremoto que acababa de asolar Papúa Nueva Guinea. Se habían conocido allí, en el Cuerpo de Paz, así que cada vez que sucedía algo en Papúa Nueva Guinea, por terrible que fuera, era como si de pronto ya no fueran criaturas maduras y sedentarias, sino los jóvenes idealistas, autosuficientes y fuertes que habían sido en otros tiempos. Se quedaron tan embelesados que ni siquiera me miraban mientras yo comía más deprisa que nunca, trasladando los alimentos del plato a mi boca a una velocidad y con una furia que casi me dejaron sin aliento, lo que por supuesto hizo que me preocupara la posibilidad de que mis pulmones volvieran a nadar en una piscina cada vez más llena de líquido. Me quité la idea de la cabeza como pude. En dos semanas tenía hora para que me hicieran un escáner PET. Si algo no iba bien, pronto lo descubriría. No ganaba nada preocupándome hasta entonces.

Pero aun así me preocupaba. Me gustaba ser una persona. Quería seguir adelante. Preocuparse es otro efecto colateral de estar muriéndose.

Acabé por fin la cena y pregunté a mis padres si me disculpaban, pero a duras penas interrumpieron su conversación sobre los puntos fuertes y las debilidades de la infraestructura guineana. Saqué el móvil del bolso, que estaba en el mesón de la cocina, y miré las llamadas perdidas. Augustus Waters.

Salí por la puerta trasera hacia la penumbra. Veía los columpios y pensé en acercarme y columpiarme mientras hablaba con él, pero me pareció que estaban demasiado lejos, porque la cena me había dejado agotada.

Me tumbé en la hierba, en un extremo del patio, observé Orión, la única constelación que distinguía, y lo llamé.

—Hazel Grace —me dijo.

—Hola —le contesté—. ¿Qué tal?

—Muy bien —me contestó—. Quería llamarte a todas horas, pero he esperado a hacerme una idea coherente en lo relativo a *Un dolor imperial.*

(Dijo «en lo relativo», de verdad. Este chico...)

—¿Y? —le pregunté.

—Creo que es como... Al leerlo, sigo pensando algo así como... como...

—¿Cómo? —le pregunté para chincharlo.

—¿Como si fuera un regalo? —me preguntó a su vez—. Como si me hubieras regalado algo importante.

—Vaya —respondí en voz baja.

—Decepcionante —añadió—. Lo siento.

—No —le contesté—. No. No lo sientas.

—Pero no acaba.

—No.

—Qué tortura, aunque lo entiendo muy bien. Entiendo que murió o algo así.

—Sí, eso mismo creo yo —le dije.

—De acuerdo, me parece muy bien, pero entre el autor y el lector hay una especie de contrato no escrito, y creo que no acabar un libro infringe ese contrato.

—No lo sé —le contesté, decidida a defender a Peter van Houten—. Según cómo, es de lo que más me gusta del libro. Describe la muerte sinceramente. Te mueres en medio de la vida, en mitad de una frase. La verdad es que quiero saber qué pasa con los demás, por eso se lo pregunté en mis cartas. Pero nunca contesta.

—¿Me dijiste que vivía apartado del mundo?

—Exacto.

—Imposible seguirle el rastro.

—Exacto.

—Totalmente inalcanzable —dijo Augustus.

—Desgraciadamente.

—«Querido señor Waters —siguió diciendo Augustus—. Le escribo para agradecerle su correo electrónico, que recibí por medio de la señorita Vliegenthart el 6 de abril, procedente de Estados Unidos, siempre y cuando pueda decirse que la geografía existe en nuestra triunfalmente digitalizada contemporaneidad.»

—Augustus, ¿qué carajos es eso?

—Tiene una ayudante —me contestó Augustus—. Lidewij Vliegenthart. La encontré, le mandé un e-mail, y ella se lo entregó. Me ha contestado desde el correo de la chica.

—Vale, vale. Sigue leyendo.

«Le escribo mi respuesta con tinta y papel, en la gloriosa tradición de nuestros antepasados, y después la señorita Vliegenthart la transcribirá a series de unos y ceros para que viaje por la insípida red en la que últimamente ha quedado atrapada nuestra especie, de modo que le pido disculpas por cualquier error u omisión que pudiera producirse.

»Dada la bacanal de entretenimientos a disposición de los jóvenes de su generación, agradezco a cualquiera, esté donde esté, que reúna las horas necesarias para leer mi librito, pero me siento en deuda en especial con usted, tanto por sus amables palabras sobre *Un dolor imperial* como por haber dedicado tiempo a decirme que el libro, y aquí lo cito literalmente, "significa mucho" para usted.

»Sin embargo, este comentario me lleva a preguntarme qué significa para usted "significa". Teniendo en cuenta que nuestra lucha es al final inútil, ¿es el efímero impacto del significado lo que el arte nos ofrece de valioso? ¿O el único valor es pasar el tiempo lo más cómodos posible? ¿Qué tendría que intentar emular una historia, Augustus? ¿Un timbre de alarma? ¿La llamada a las armas? ¿Un goteo de morfina? Por supuesto, como toda pregunta sobre el universo, esta vía de investigación nos obliga inevitablemente a preguntarnos qué significa ser humano y, tomando prestada una frase de los quinceañeros angustiados a los que usted sin duda desprecia, si todo esto tiene sentido.

»Me temo que no, amigo mío, y que usted se sentiría muy poco estimulado si leyera otros textos míos. Pero responderé a su pregunta: no, no he escrito nada más, ni lo haré. No creo que seguir compartiendo mis pensamientos con lectores vaya a beneficiarlos a ellos, y tampoco a mí. Le agradezco de nuevo su generoso e-mail.

»Se despide atentamente, Peter van Houten, vía Lidewij Vliegenthart.»

—¡Uau! —exclamé—. ¿Lo has escrito tú?

—Hazel Grace, ¿crees que con mi precaria capacidad intelectual podría escribir una carta de Peter van Houten utilizando expresiones como «nuestra triunfalmente digitalizada contemporaneidad»?

—No, no podrías —admití—. ¿Puedes… puedes pasarme su dirección de e-mail?

—Por supuesto —me contestó Augustus como si no fuera el mejor regalo posible.

Pasé las siguientes dos horas escribiendo un e-mail a Peter van Houten. Parecía que cada vez que lo corregía quedaba peor, pero no podía dejar de hacerlo.

Querido señor Peter van Houten
(a través de Lidewij Vliegenthart):

Me llamo Hazel Grace Lancaster. Mi amigo Augustus Waters, que leyó *Un dolor imperial* por recomendación mía, acaba de recibir un e-mail suyo desde esta dirección. Espero que no le importe que Augustus haya compartido el e-mail conmigo.

Señor van Houten, por su correo a Augustus entiendo que no tiene previsto publicar más libros. Me siento en parte decepcionada, aunque también aliviada, porque así no tendré que preocuparme de si su siguiente libro estará a la altura de la magnífica perfección del primero. Como enferma de un cáncer de estadio IV desde hace tres años, tengo que decirle que en *Un dolor imperial* todo es perfecto. O al menos para mí. Su libro me cuenta lo que estoy sintiendo incluso antes de que lo sienta, y lo he releído muchísimas veces.

Sin embargo, me pregunto si le importaría contestarme a un par de preguntas sobre lo que sucede después del final de la novela. Entiendo que el libro termina porque Anna muere o está demasiado enferma para seguir escribiendo, pero realmente me gustaría saber qué pasa con la madre de Anna, si se casa con el Tulipán Holandés, si tiene otro hijo, si sigue viviendo en el número 917 de la W. Temple, etcétera. Me gustaría saber además si el Tulipán Holandés es un impostor o la quiere de verdad. ¿Qué pasa con los amigos de Anna, en especial, Claire y Jake? ¿Siguen juntos? Y por último —soy consciente de que esta es la profunda y sesuda pregunta que siempre esperó que le hicieran sus lectores—, ¿qué le sucede a Sísifo, el hámster? Estas preguntas llevan años obsesionándome, y no sé cuánto tiempo me queda para encontrar las respuestas.

Sé que no son preguntas importantes desde el punto de vista literario y que su libro está lleno de cuestiones literariamente importantes, pero de verdad me gustaría mucho saberlo.

Y por supuesto, si algún día decide escribir algo más, aunque no quiera publicarlo, estaría encantada de leerlo. Le aseguro que leería hasta sus listas del mercado.

Con toda mi admiración,

Hazel Grace Lancaster
(16 años)

Después de haberlo mandado volví a llamar a Augustus. Estuvimos mucho rato hablando de *Un dolor imperial*, le leí el poema de Emily Dickinson que Van Houten había utilizado para el título, y él me dijo que leía muy bien en voz alta, aunque no hice demasiada pausa entre los versos, y entonces me dijo que el sexto volumen de *El precio del amanecer*, *La sangre está de acuerdo*, empieza citando un poema. Tardó un minuto en encontrar el libro, pero al final me leyó la cita: «Y decirte: tu vida se ha roto. Tu último buen beso lo diste hace muchos años».

—No está mal —le dije—. Un poco pretencioso. Creo que Max Mayhem diría que es una mariconada.

—Sí, y apretaría los dientes, seguro. En este libro Mayhem se pasa el día apretando los dientes. Seguro que, si sale vivo del combate, acabará pillando una disfunción temporomandibular. —Y un segundo después me preguntó—: ¿Cuándo diste tu último buen beso?

Lo pensé. Mis besos —todos antes del diagnóstico— habían sido incómodos y sensibleros, hasta cierto punto siempre parecíamos niños jugando a ser mayores. Pero desde luego había pasado tiempo.

—Hace años —dije por fin—. ¿Y tú?

—Me di unos cuantos buenos besos con mi ex novia, Caroline Mathers.

—¿Hace años?

—El último fue hace menos de un año.

—¿Qué pasó?

—¿Mientras nos besábamos?

—No, contigo y con Caroline.

—Bueno… —me contestó. Y un segundo después—: Caroline ya no participa de la cualidad de ser persona.

—Vaya… —dije yo.

—Sí.

—Lo siento —añadí.

Había conocido a muchas personas que habían muerto, por supuesto, pero nunca había salido con ninguna de ellas. La verdad es que no podía ni imaginármelo.

—No es culpa tuya, Hazel Grace. Solo somos efectos colaterales, ¿verdad?

—«Percebes en el buque de la conciencia» —dije citando *Un dolor imperial.*

—Sí. Me voy a dormir. Es casi la una.

—Bien —le contesté.

—Bien —me respondió.

Me dio la risa tonta y repetí «Bien». La línea se quedó en silencio, pero no se cortó. Casi sentía que estaba en la habitación conmigo, pero mejor, porque ni yo estaba en mi habitación ni él en la suya, sino que estábamos juntos en algún lugar invisible e indeterminado al que solo podía llegarse por teléfono.

—Bien —dijo después de una eternidad—. Quizá «bien» será nuestro «siempre».

—Bien —añadí.

Al final colgó Augustus.

Peter van Houten contestó al e-mail de Augustus a las cuatro horas de habérselo mandado, pero dos días después todavía no había respondido al mío. Augustus me aseguraba que era porque mi e-mail era mejor y exigía pensar bien la respuesta, que Van Houten estaba escribiendo las respuestas a mis preguntas y que su prosa brillante requería tiempo. Pero aun así me preocupé.

El miércoles, durante la clase de poesía estadounidense para tontos, recibí un mensaje de Augustus:

> Isaac ya ha salido del quirófano. Ha ido bien. Oficialmente SEC.

SEC significaba «sin evidencias de cáncer». Unos segundos después me llegó un segundo mensaje.

> Bueno, está ciego. Es una pena.

Aquella tarde, mi madre aceptó prestarme el carro para que fuera al Memorial a ver a Isaac.

Encontré su habitación en la quinta planta. Llamé a la puerta, aunque estaba abierta, y una voz femenina me dijo que entrara. Era una enfermera que estaba haciendo algo en las vendas que cubrían los ojos de Isaac.

—Hola, Isaac —lo saludé.

—¿Mon? —preguntó.

—No, lo siento, no. Soy... Hazel. Bueno... Hazel, la del grupo de apoyo, la Hazel de la noche de los trofeos rotos.

—Ah —contestó—. No dejan de repetirme que los demás sentidos se me desarrollarán más para compensar, pero ESTÁ CLARO QUE TODAVÍA NO. Hola, Hazel, la del grupo de apoyo. Acércate para que te examine la cara con las manos y vea tu alma más profundamente que cualquier persona con vista.

—Está de broma —me dijo la enfermera.

—Sí, ya me he dado cuenta —le contesté.

Me dirigí a la cama, acerqué una silla, me senté y le cogí de la mano.

—Hola —le dije.

—Hola —me respondió.

Nos quedamos un instante en silencio.

—¿Cómo te encuentras? —le pregunté.

—Bien —me contestó—. No sé.

—¿Qué es lo que no sabes? —le pregunté.

Le miraba la mano porque no quería mirar su rostro con los ojos vendados. Isaac se mordió las uñas, y vi un poco de sangre en los extremos de un par de cutículas.

—Ni siquiera ha venido a verme —me dijo—. No sé, salimos juntos catorce meses. Catorce meses es mucho tiempo. Joder, duele.

Isaac se soltó de mi mano para buscar a tientas la bomba de infusión, que presionó para que le proporcionara una dosis de narcóticos.

La enfermera, que había terminado de cambiar el vendaje, retrocedió unos pasos.

—Solo ha pasado un día, Isaac —le dijo con cierto tono condescendiente—. Tienes que darte tiempo para que cicatrice. Y catorce meses no es tanto tiempo, no en el orden del universo. Acabas de empezar, muchacho. Ya lo verás.

La enfermera se marchó.

—¿Se ha ido?

Asentí, pero enseguida me di cuenta de que no podía ver mi gesto.

—Sí —respondí.

—¿Ya lo veré? ¿De verdad? ¿Lo ha dicho en serio?

—Cualidades de una buena enfermera: empieza —le dije.

—Uno: no jugar con palabras que tengan que ver con tu discapacidad —contestó Isaac.

—Dos: sacar sangre al primer intento —continué yo.

—De verdad, es muy fuerte. ¿Esto es mi fastidiosa mano o una diana? Tres: no hablar con condescendencia.

—¿Cómo estás, cariño? —le pregunté con tono empalagoso—. Ahora voy a pincharte con una aguja. Puede dolerte un poquito.

—¿Está enfermito mi niño? —añadió Isaac—. En realidad la mayoría son buenas. Es solo que quiero acabar con esto de una puta vez.

—¿Te refieres al hospital?

—Al hospital también —me contestó.

Tensó la boca. Era evidente que le dolía.

—Sinceramente, pienso muchísimo más en Mónica que en mi ojo. ¿No es una locura? Es una locura.

—Es un poco locura —admití.

—Pero creo en el amor verdadero. ¿Tú no? Creo que no todo el mundo puede conservar sus ojos, o no ponerse enfermo, o lo que sea, pero todo el mundo debería tener amor verdadero, y debería durar como mínimo toda la vida.

—Sí —le dije.

—A veces deseo que nada de esto hubiera sucedido. Esta historia del cáncer.

Hablaba cada vez más despacio. El medicamento empezaba a hacerle efecto.

—Lo siento —añadí.

—Gus ha estado aquí hace un rato. Estaba aquí cuando me he despertado. Se ha saltado las clases. Gus… —Ladeó un poco la cabeza—. Ahora mejor —dijo en voz baja.

—¿El dolor? —le pregunté.

Asintió ligeramente.

—Bien. —Y como soy una cabrona, añadí—: Estabas diciéndome algo de Gus.

Pero ya se había dormido.

Bajé a la tienda de regalos, diminuta y sin ventanas, y pregunté a la decrépita voluntaria que estaba sentada en un taburete detrás de la caja registradora qué flores olían más.

—Todas huelen igual. Las rocían con perfume —me contestó.

—¿En serio?

—Sí, las empapan.

Abrí el refrigerador situado a su izquierda, olí una docena de rosas y después me incliné sobre unos claveles. Olían igual, y además mucho. Los claveles eran más baratos, así que cogí una docena de color amarillo. Me costaron catorce dólares. Volví a la habitación. Había llegado su madre, que lo tenía cogido de la mano. Era joven y muy bonita.

—¿Eres una amiga? —me preguntó.

Su pregunta me golpeó, como si hubiera sido una de esas preguntas involuntariamente amplias e incontestables.

—Bueno, sí —le contesté—. Soy del grupo de apoyo. Le he traído unas flores.

Las cogió y las dejó sobre sus rodillas.

—¿Conoces a Mónica? —me preguntó.

Negué con la cabeza.

—Bueno, está dormido —me dijo.

—Sí. He hablado con él hace un rato, cuando estaban cambiándole el vendaje.

—Me ha fastidiado mucho tener que dejarlo en ese momento, pero tenía que ir a buscar a Graham al colegio —me explicó.

—Ha ido bien —le dije.

La mujer asintió.

—Debería dejarlo dormir —añadí.

La madre de Isaac volvió a asentir, y me marché.

A la mañana siguiente me desperté temprano y lo primero que hice fue consultar mi correo.

lidewij.vliegenthart@gmail.com por fin me había contestado.

Querida señorita Lancaster:

Temo que ha depositado su fe en un lugar equivocado, pero suele pasar con la fe. No puedo contestar a sus preguntas, al menos no por escrito, porque poner por escrito esas respuestas constituiría la segunda parte de *Un dolor imperial*, que usted podría publicar o compartir en esa red que ha sustituido los cerebros de su generación. Está el teléfono, pero en ese caso podría grabar la conversación. No es que no confíe en usted, por supuesto, pero no confío en usted. Desgraciadamente, querida Hazel, solo podría responder a este tipo de preguntas en persona, pero usted está allí, y yo estoy aquí.

Una vez aclarado este punto, debo confesarle que me ha encantado recibir su inesperado correo a través de la señorita Vliegenthart. Es maravilloso saber que hice algo útil para usted, aunque siento ese libro tan distante que me da la impresión de que lo ha escrito otra persona. (El autor de esa novela era muy delgado, muy débil y relativamente optimista.)

No obstante, si alguna vez pasa por Amsterdam, venga a visitarme cuando quiera. Suelo estar en casa. Incluso le permitiré que eche un vistazo a mis listas de la compra.

Atentamente,

Peter van Houten

a través de Lidewij Vliegenthart

—¿CÓMO? —grité—. ¿QUÉ MIERDA DE VIDA ES ESTA?

Mi madre entró corriendo.

—¿Qué pasa?

—Nada —le aseguré.

Todavía nerviosa, mi madre se arrodilló para comprobar si Philip condensaba el oxígeno adecuadamente. Me imaginé sentada en una luminosa cafetería con Peter van Houten, que se apoyaba en los codos, se inclinaba hacia delante y me hablaba en voz baja para que nadie pudiera oír lo que sucedió con los personajes en los que había pasado años pensando. Me había dicho que solo podría decírmelo en persona, y me había invitado a visitarlo en Amsterdam. Se lo expliqué a mi madre.

—Tengo que ir —le dije por fin.

—Hazel, te quiero y sabes que haría cualquier cosa por ti, pero no… no tenemos dinero para viajar al extranjero, y los gastos para conseguir equipo médico allí… Cariño, no es…

—Sí —la interrumpí. Me di cuenta de que había sido una tontería incluso planteárselo—. No te preocupes.

Pero mi madre parecía preocupada.

—Es muy importante para ti, ¿verdad? —me preguntó sentándose y acercando una mano a mi pierna.

—Sería increíble ser la única persona que sabe qué sucede aparte de él —le contesté.

—Sería increíble —me dijo—. Hablaré con tu padre.

—No, no hables con él —le dije—. En serio. No gasten dinero en esto, por favor. Ya se me ocurrirá algo.

De pronto pensé que la razón por la que mis padres no tenían dinero era yo. Había dilapidado los ahorros de la familia con el Phalanxifor, y mi madre no podía trabajar porque se dedicaba profesionalmente a merodear a mi alrededor a jornada completa. No quise que se endeudaran todavía más.

Le dije a mi madre que quería llamar a Augustus para que saliera de mi habitación, porque no podía soportar su tristeza por no poder cumplir los sueños de su hija.

Le leí la carta sin haberle siquiera saludado, al más puro estilo Augustus Waters.

—Uau —dijo.

—Ya sé. ¿Cómo voy a ir a Amsterdam?

—¿No te corresponde un deseo? —me preguntó refiriéndose a «los genios», es decir, la Genie Foundation, una organización que se ocupa de financiar un deseo a niños enfermos.

—No —le respondí—. Ya lo gasté antes del milagro.

—¿Qué hiciste?

Suspiré ruidosamente.

—Tenía trece años —le dije.

—No me digas que fuiste a Disney…

No le contesté.

—Dime que no fuiste a Disney World.

No le contesté.

—¡Hazel GRACE! —gritó—. Dime que no gastaste tu único deseo de moribunda en ir a Disney World con tus padres.

—Y al Epcot Center —murmuré.

—Joder —dijo Augustus—. No me puedo creer que esté encantado por una chica con deseos tan estereotipados.

—Tenía trece años —repetí.

Por supuesto, lo único que pensaba era «encantado, encantado, encantado, encantado». Me sentía halagada, pero cambié de tema inmediatamente.

—¿No tendrías que estar en el instituto?

—Me he saltado la clase para estar con Isaac, pero está durmiendo, así que estoy en el vestíbulo haciendo geometría.

—¿Cómo está? —le pregunté.

—No sé si es que no está preparado para enfrentarse a la gravedad de su discapacidad o si realmente le importa más que lo haya dejado Mónica, pero no habla de otra cosa.

—Ya —le dije—. ¿Cuánto tiempo va a quedarse en el hospital?

—Unos días. Luego irá un tiempo a rehabilitación, pero dormirá en su casa, creo.

—Qué mierda.

—Llega su madre. Tengo que irme.

—Bien —le dije.

—Bien —me contestó.

Podía oír su sonrisa torcida.

El sábado fui con mis padres al mercado al aire libre de Broad Ripple. Hacía sol, cosa rara en Indiana en el mes de abril, así que todo el mundo iba en manga corta, aunque la temperatura no era para tanto. Los de Indiana somos demasiado optimistas respecto del verano. Mi madre y yo nos sentamos en un banco frente a un puesto de jabones de leche de cabra en el que un hombre con un pantalón de peto explicaba a todo el que pasaba que sí, que las cabras eran suyas, y que no, que el jabón de leche de cabra no huele a cabra.

Sonó mi móvil.

—¿Quién te llama? —me preguntó mi madre antes de que hubiera podido verlo.

—No lo sé —le contesté.

Era Gus.

—¿Estás en casa? —me preguntó.

—No —le contesté.

—Era una trampa. Ya sabía que no, porque ahora mismo estoy en tu casa.

—Vaya… Bueno, creo que volvemos ya.

—Genial. Hasta ahora.

Augustus Waters estaba sentado en la escalera de la entrada cuando llegamos al camino. Llevaba en la mano un ramo de tulipanes de color naranja que apenas empezaban a abrirse e iba vestido con una camiseta de los Pacers de Indiana y una chaqueta por encima, elección poco habitual en él, aunque le sentaba muy bien. Se levantó y me tendió los tulipanes.

—¿Quieres que vayamos de picnic? —me preguntó.

Asentí mientras cogía las flores.

—¿Es una camiseta de Rik Smits? —le preguntó mi padre.

—Por supuesto.

—Me encantaba ese tipo —dijo mi padre.

Se metieron de inmediato en una conversación sobre baloncesto a la que no podía (y no quería) unirme, así que entré en casa a dejar los tulipanes.

—¿Quieres que los ponga en un jarrón? —me preguntó mi madre con una enorme sonrisa en la cara.

—No, déjalo —le contesté.

Si los hubiéramos puesto en un jarrón en el comedor, habrían sido flores para todos. Quería que fueran mías.

Me metí en mi habitación, pero no me cambié de ropa. Me cepillé el pelo y los dientes, y me di brillo en los labios y un ligero toque de perfume. No dejaba de mirar las flores. Eran de un naranja chillón, casi demasiado anaranjadas para ser bonitas. No tenía ningún jarrón, así que saqué el cepillo de dientes del vaso, lo llené de agua hasta la mitad y dejé las flores allí, en el cuarto de baño.

Cuando volví a mi habitación, los oí hablando, de modo que me senté un rato en el borde de la cama y escuché por el hueco de la puerta.

Mi padre: Así que conociste a Hazel en el grupo de apoyo…

Augustus: Sí, señor. Tienen una casa muy bonita. Me gustan los cuadros.

Mi madre: Gracias, Augustus.

Mi padre: Entonces tú también has tenido…

Augustus: Sí. No me corté la pierna por puro placer, aunque es un método excelente para perder peso. Las piernas pesan mucho…

Mi padre: ¿Y cómo estás ahora?

Augustus: SEC desde hace catorce meses.

Mi madre: Qué bien. Hoy en día hay muchas opciones de tratamiento.

Augustus: Lo sé. Tengo mucha suerte.

Mi padre: Augustus, tienes que entender que Hazel todavía está enferma, y lo seguirá estando el resto de su vida. Querrá seguir tu ritmo, pero sus pulmones…

En ese momento aparecí y mi padre se calló.

—¿Adónde van? —preguntó mi madre.

Augustus se levantó, se inclinó hacia ella y le susurró la respuesta, pero enseguida le colocó un dedo sobre los labios.

—Chist —le dijo—. Es un secreto.

Mi madre sonrió.

—¿Has cogido el celular? —me preguntó.

Lo alcé para que lo viera, incliné el carro del oxígeno y eché a andar. Augustus llegó corriendo hasta mí para ofrecerme su brazo, que cogí. Rodeé con los dedos su bíceps.

Desgraciadamente, se empeñó en conducir para que la sorpresa fuera una sorpresa.

—Mi madre se ha quedado encantada contigo —le dije mientras traqueteábamos hacia nuestro destino.

—Sí, y tu padre es fan de Smits, que algo ayuda. ¿Crees que les gusto?

—Seguro, pero ¿qué importa? Solo son padres.

—Son tus padres —dijo lanzándome una mirada—. Además, me gusta gustar. ¿Es una tontería?

—Bueno, no tienes que correr a abrirme las puertas ni cubrirme de piropos para gustarme.

Pegó un frenazo y salí disparada hacia delante con tanta fuerza que me costaba mucho respirar. Pensé en el escáner. «No te preocupes. Preocuparse es inútil.» Pero me preocupaba.

Íbamos a toda pastilla, dejamos atrás un stop y giramos a la izquierda, hacia el mal llamado Grandview (creo que se ve un camino de cabras, pero nada especialmente bonito). No podía dejar de pensar que aquella dirección llevaba al cementerio. Augustus alargó un brazo hasta la guantera, abrió un paquete de tabaco y sacó un cigarrillo.

—¿Los tiras alguna vez? —le pregunté.

—Una de las muchas ventajas de no fumar es que los paquetes de tabaco duran una eternidad —me contestó—. Este lo tengo desde hace casi un año. Algunos cigarros se rompen por el filtro, pero creo que este paquete fácilmente podría durarme hasta que cumpla dieciocho. —Sujetó el filtro entre los dedos y después se lo llevó a la boca—. Bueno, dime algunas cosas que nunca se ven en Indianápolis.

—A ver… Gente mayor flaca —le contesté.

Se rió.

—Bien. Más cosas.

—Pues… playas. Restaurantes familiares. Paisajes.

—Excelentes ejemplos de cosas que no tenemos. Tampoco cultura.

—Sí, estamos algo escasos de cultura —le dije cayendo en la cuenta de adónde me llevaba—. ¿Vamos al museo?

—Por así decirlo.

—Ah, ¿vamos a esa especie de parque?

Gus pareció desanimarse un poco.

—Sí, vamos a esa especie de parque —me dijo—. Lo habías deducido, ¿verdad?

—¿Deducido el qué?

—Nada.

Detrás del museo había un parque con grandes esculturas de varios artistas. Había oído hablar de él, pero nunca había ido. Pasamos el museo y aparcamos justo al lado de un campo de baloncesto con enormes arcos metálicos azules y rojos que representaban el itinerario de un balón en movimiento.

Caminamos al pie de lo que en Indianápolis se considera una colina hacia un claro en el que los niños subían por una enorme escultura con forma de esqueleto. Los huesos eran más o menos del grosor de un cuerpo humano, y el fémur era más largo que yo. Parecía un dibujo infantil de un esqueleto tumbado en el suelo.

Me dolía el hombro. Temía que el cáncer se hubiera extendido desde los pulmones. Imaginaba que el tumor hacía metástasis en mis huesos y me agujereaba el esqueleto como una anguila resbaladiza y malintencionada.

—*Funky Bones* —me dijo Augustus—, de Joep van Lieshout.

—Suena a holandés.

—Lo es —me contestó Gus—. Como Rik Smits. Y como los tulipanes.

Gus se detuvo en medio del claro, con los huesos justo enfrente de nosotros. Se soltó la mochila de un hombro, y luego del otro. La abrió y sacó una manta naranja, una botella de zumo de naranja y unos sándwiches sin corteza envueltos en film transparente.

—¿Qué pasa con tanto naranja? —le pregunté.

No me permitía a mí misma imaginar que todo aquello pudiera conducir a Amsterdam.

—Es el color nacional de Holanda, por supuesto. ¿Recuerdas a Guillermo de Orange y todo eso?

—No entraba para el examen de bachillerato —le contesté sonriendo e intentando contener los nervios.

—¿Un sándwich? —me preguntó.

—A ver si lo adivino... —le dije.

—Queso holandés. Y tomate. Los tomates son de México. Lo siento.

—Siempre lo fastidias todo, Augustus. ¿No podrías al menos haber comprado tomates naranjas?

Se rió. Nos comimos los sándwiches en silencio, observando a los niños que jugaban en la escultura. No podía preguntarle más, de modo que me limité a quedarme allí sentada, rodeada de cosas holandesas y sintiéndome torpe e ilusionada.

A cierta distancia, bañados en una luz nítida, tan escasa y apreciada en nuestra ciudad, unos niños hacían un esqueleto en un parque infantil y saltaban entre los huesos falsos.

—Me gustan dos cosas de esta escultura —me dijo Augustus.

Sostenía entre los dedos el cigarrillo sin encender y le daba golpecitos, como si quisiera expulsar la ceniza. Volvió a colocárselo en la boca.

—Lo primero, que los huesos están tan separados que, si eres un niño, no puedes resistir la tentación de saltar entre ellos. Tienes que saltar de la caja torácica al cráneo. Y eso significa, en segundo lugar, que la escultura básicamente obliga a los niños a jugar con huesos. Las connotaciones simbólicas son infinitas, Hazel Grace.

—Te encantan los símbolos —le dije con la esperanza de orientar la conversación hacia los símbolos holandeses de nuestro picnic.

—Tienes razón. Seguramente te preguntas por qué estás comiéndote un sándwich de queso malo y bebiéndote un zumo de naranja, y por qué llevo la camiseta de un holandés que jugaba a un deporte que he llegado a odiar.

—Se me ha pasado por la cabeza —le contesté.

—Hazel Grace, como muchos otros niños antes que tú, y te lo digo con todo el cariño, gastaste tu deseo deprisa y corriendo, sin plantearte las consecuencias. La Parca te miraba fijamente, y el miedo a morirte, junto con el deseo todavía en tu proverbial bolsillo, sin haberlo utilizado, te hizo precipitarte hacia el primer deseo que se te ocurrió, y, como muchos otros, elegiste los placeres fríos y artificiales de un parque temático.

—La verdad es que me lo pasé muy bien en aquel viaje. Vi a Goofy y a Minnie…

—¡Estoy en mitad de un discurso! Lo he escrito y me lo he aprendido de memoria, así que si me interrumpes, seguro que la cago —me cortó Augustus—. Te pido que te comas tu sándwich y que me escuches.

El sándwich estaba tan seco que era incomestible, pero aun así sonreí y le di un mordisco.

—Bien, ¿por dónde iba?

—Por los placeres artificiales.

Metió el cigarrillo en el paquete.

—Sí, los placeres fríos y artificiales de un parque temático. Pero permíteme que te diga que los auténticos héroes de la fábrica de los deseos son los jóvenes que esperan, como Vladimir y Estragon esperan a Godot, y las buenas chicas cristianas esperan casarse. Estos jóvenes héroes esperan estoicamente y sin lamentarse a que se presente su verdadero deseo. Es cierto que podría no llegar nunca, pero al menos descansarán en su tumba sabiendo que han hecho su pequeña aportación para preservar la integridad de la idea de deseo.

»Pero resulta que quizá el deseo sí se presenta. Quizá descubres que tu único y verdadero deseo es ir a ver al brillante Peter van Houten a su exilio en Amsterdam, y en ese caso sin duda te alegrarás de no haber gastado tu deseo.

Augustus se quedó callado el tiempo suficiente para que imaginara que había terminado su discurso.

—Pero yo sí que gasté mi deseo —le respondí.

—Vaya... —me dijo. Y luego, después de lo que me pareció una pausa calculada, añadió—: Pero yo no he gastado el mío.

—¿En serio?

Me sorprendió que Augustus fuera un candidato a recibir un deseo, porque todavía iba al instituto y su cáncer había remitido hacía un año. Hay que estar muy enfermo para que los genios te concedan un deseo.

—Me lo concedieron a cambio de la pierna —me explicó.

El sol le daba en la cara. Tenía que entrecerrar los ojos para mirarme, lo que le hacía arrugar la nariz. Estaba guapísimo.

—Pero no voy a regalarte mi deseo, no creas. A mí también me interesa conocer a Peter van Houten, y no tendría sentido conocerlo sin la chica que me recomendó su libro.

—Claro que no,

—Así que he hablado con los genios, y están totalmente de acuerdo. Me han dicho que Amsterdam es preciosa a principios de mayo. Me han propuesto que salgamos el 3 de mayo y volvamos el 7.

—¿De verdad, Augustus?

Se acercó, me tocó la mejilla y por un momento pensé que iba a besarme. Me puse tensa y creo que se dio cuenta, porque retiró la mano.

—Augustus, no tienes que hacerlo, de verdad.

—Claro que lo haré —me contestó—. He encontrado mi deseo.

—Eres el mejor —le dije.

—Apuesto a que se lo dices a todos los chicos que te financian los viajes internacionales —me contestó.

Capítulo 6

Cuando llegué a casa, mi madre estaba doblándome la ropa limpia mientras veía un magazín en la tele. Le conté que los tulipanes, el artista holandés y todo lo demás eran porque Augustus iba a utilizar su deseo para llevarme a Amsterdam.

—Es demasiado —dijo sacudiendo la cabeza—. No podemos aceptar algo así de alguien que es prácticamente un extraño.

—No es un extraño. Es mi segundo mejor amigo.

—¿Después de Kaitlyn?

—Después de ti —le contesté.

Era verdad, pero lo dije sobre todo porque quería ir a Amsterdam.

—Lo consultaré con la doctora María —respondió por fin.

La doctora María dijo que no podía ir a Amsterdam si no me acompañaba un adulto que conociera muy bien mi caso, lo que más o menos significaba que o bien mi madre o bien ella misma. (Mi padre entendía mi cáncer como yo, es decir, de la forma vaga e incompleta en que se entienden los circuitos eléctricos y las mareas. Pero mi madre sabía más sobre los carcinomas de tiroides en adolescentes que la mayoría de los oncólogos.)

—Pues vienes conmigo —le dije—. Los genios lo pagarán. Están forrados.

—¿Y tu padre? —me preguntó—. Nos echará de menos. No sería justo, pero él no puede dejar el trabajo.

—¿Estás de broma? ¿No crees que a papá le encantará pasar unos días viendo programas que no sean *realities* para ser modelo, pidiendo pizza cada noche y utilizando servilletas de papel en lugar de platos para no tener que fregarlos?

Mi madre se rió. Al final empezó a entusiasmarse y a anotar en la agenda de su teléfono todo lo que tenía que hacer. Tendría que llamar a los padres de Gus, hablar con los genios sobre mis necesidades médicas y preguntarles si habían reservado ya el hotel, buscar las mejores guías, investigar un poco, ya que solo teníamos tres días, y muchas cosas más. Me dolía un poco la cabeza, así que me tomé un par de ibuprofenos y decidí hacer una siesta.

Acabé simplemente tumbada en la cama recreando el picnic con Augustus. No podía dejar de pensar en el instante en que me puse tensa porque me tocó. De alguna manera, sentí extraño aquel gesto de ternura. Pensaba que quizá había sido por cómo Augustus lo había organizado todo. Había estado genial, pero en el picnic todo era excesivo, empezando por los sándwiches, que tendrían connotaciones metafóricas, pero estaban malísimos, y el discurso memorizado, que impidió que charláramos. Era todo muy novelesco, pero nada romántico.

Aunque la verdad es que nunca había deseado que me besara, al menos no como se supone que se desean estas cosas. Bueno, era lindísimo y me atraía, pero pensaba en él en estos términos, como las colegialas de mi ciudad. Aunque el hecho de que me tocara, de que se decidiera a tocarme... había sido un error.

Entonces me descubrí a mí misma pensando si debería haberme enrollado con él para ir a Amsterdam, que no es el pensamiento más agradable, porque: *a*) no debería haberme preguntado siquiera si quería besarlo, y *b*) besar a alguien para poder hacer un viaje gratis está peligrosamente cerca del puterío total, y tengo que confesar que, aunque no me consideraba una persona especialmente buena, nunca pensé que mi primera relación sexual pudiera tener algo que ver con la prostitución.

Aunque lo cierto es que Augustus no había intentado besarme. Solo me había tocado la cara, un gesto que ni siquiera es sexual. No fue un gesto para ponerme cachonda, pero sin duda sí que fue calculado, porque Augustus Waters no era de los que improvisaban. ¿Qué había querido darme a entender? ¿Y por qué yo no había querido aceptarlo?

Llegado este punto, me di cuenta de que estaba haciendo lo mismo que Kaitlyn, así que decidí mandarle un mensaje para pedirle consejo. Me llamó inmediatamente.

—Tengo problemas con un chico —le dije.

—FANTÁSTICO —me respondió Kaitlyn.

Le conté toda la historia, incluso que me había sentido incómoda cuando me había tocado la cara. Solo me callé lo de Amsterdam y el nombre de Augustus.

—¿Estás segura de que está bueno? —me preguntó cuando hube terminado.

—Totalmente segura —le respondí.

—¿Tiene músculos?

—Sí, jugaba al baloncesto en el North Central.

—¡Uau! —exclamó Kaitlyn—. Solo por curiosidad: ¿cuántas piernas tiene el tipo?

—Más o menos, una coma cuatro —le contesté sonriendo.

En Indiana los jugadores de baloncesto eran conocidos, y aunque Kaitlyn no había ido al North Central, su vida social era infinita.

—Augustus Waters —me dijo.

—Puede ser…

—¡Madre mía! Lo he visto en varias fiestas. Me lo comería entero. Bueno, ahora que sé que te interesa, no, pero, ¡virgen del amor hermoso!, daría veinte vueltas al corral montada en ese poni de una pierna.

—Kaitlyn —le dije.

—Perdona. ¿Crees que deberías montarlo tú?

—Kaitlyn —repetí.

—¿De qué estábamos hablando? Sí, de ti y de Augustus Waters. ¿No serás… lesbiana?

—No creo. Mira, estoy segura de que me gusta.

—¿Tiene las manos feas? Algunas veces los guapos tienen las manos feas.

—No. Tiene unas manos preciosas.

—Hummm… —dijo Kaitlyn.

—Hummm… —dije yo.

Nos quedamos un instante en silencio.

—¿Te acuerdas de Derek? —me preguntó de pronto Kaitlyn—. Rompió conmigo la semana pasada porque llegó a la conclusión de que en el fondo éramos totalmente incompatibles y de que, si seguíamos, solo conseguiríamos hacernos más daño. Lo llamó «corte preventivo». Quizá presientes que sois básicamente incompatibles y estás previniendo la prevención.

—Hummm… —dije.

—Solo estoy pensando en voz alta.

—Siento lo de Derek.

—Bah, ya lo he superado. Me bastó con una caja de galletas de chocolate y menta, y cuarenta minutos para superar a ese chico.

Me reí.

—Gracias, Kaitlyn.

—Si al final te enrollas con él, espero que me cuentes todos los detalles lascivos.

—Pues claro —le respondí.

Kaitlyn me mandó un sonoro beso desde el otro lado del teléfono. Me despedí de ella y colgó.

Mientras escuchaba a Kaitlyn me di cuenta de que no tenía la premonición de que acabaría haciéndole daño. Lo que tenía era una «posmonición».

Saqué mi portátil y busqué a Caroline Mathers. El parecido físico conmigo era impresionante: la misma cara redonda, la misma nariz y casi el mismo cuerpo. Pero tenía los ojos castaños (los míos son verdes) y era mucho más morena de piel, italiana o algo así.

Miles de personas —literalmente miles— habían dejado mensajes de pésame en su muro. Había una pantalla infinita de gente que la echaba de menos, tanta que tardé una hora en pasar de los posts que decían «Lamento mucho que hayas muerto» a los que decían «Rezo por ti». Había muerto hacía un año de cáncer cerebral. Pude abrir varias fotos suyas. Augustus aparecía en muchas de las primeras: señalando con los pulgares la cicatriz que rodeaba el cráneo calvo de la chica, cogidos de la mano y de espaldas a la cámara en el patio del Memorial y besándose mientras Caroline sujetaba la cámara, de modo que solo se les veían la nariz y los ojos cerrados.

Las últimas fotos eran todas de antes, de cuando Caroline estaba sana, y las habían colgado sus amigos después de que muriera. Era una chica guapa, de anchas caderas y curvas, con el pelo largo y liso de color negro azabache cayéndole sobre la cara. Cuando yo estaba sana, apenas me parecía a ella, pero con cáncer podríamos haber sido hermanas. No era raro que se fijara en mí en cuanto me vio.

Volví al muro y leí un post que había escrito un amigo suyo hacía dos meses, nueve después de su muerte. «Todos te echamos mucho de menos. No te olvidamos. Es como si hubiéramos salido todos heridos de tu batalla, Caroline. Te echo de menos. Te quiero.»

Al rato, mis padres me avisaron de que la cena estaba lista. Apagué el ordenador y me levanté, pero no podía quitarme el post de la cabeza, y por alguna razón me puse nerviosa y se me quitó el hambre.

No dejaba de pensar en el hombro, que me dolía, y también seguía doliéndome la cabeza, pero quizá era porque había estado pensando en una chica que había muerto de cáncer cerebral. Me repetía una y otra vez que no debía mezclar las cosas, que ahora estaba allí, en aquella mesa redonda (seguramente demasiado grande para tres personas, y sin la menor duda para dos), con aquel brócoli pasado y una hamburguesa de judías negras que toda la salsa de tomate del mundo no podría humedecer mínimamente. Me decía a mí misma que imaginar que tenía un tumor en el cerebro o en el hombro no iba a afectar a la invisible realidad de lo que sucedía dentro de mí, y que por lo tanto todos aquellos pensamientos eran momentos perdidos en una vida que, por definición, está formada por una cantidad finita de momentos. Incluso intenté decirme a mí misma que aquel sería el mejor día de mi vida.

La mayor parte del tiempo no llegaba a entender por qué el hecho de que un extraño hubiera escrito en internet a una chica también extraña (y muerta) me molestaba tanto y me hacía preocuparme de que tuviera algo en el cerebro, que realmente me dolía, aunque sabía por años de experiencia que el dolor no es un elemento de diagnóstico contundente.

Como aquel día no había habido un terremoto en Papúa Nueva Guinea, mis padres se centraron en mí, así que no pude ocultar mi evidente angustia.

—¿Va todo bien? —me preguntó mi madre mientras comía.

—Ajá —le contesté.

Cogí un trozo de hamburguesa y me la tragué. Intenté decir algo que diría una persona normal cuyo cerebro no estuviera sumido en el pánico.

—¿Las hamburguesas llevan brócoli?

—Un poco —me respondió mi padre—. Qué emocionante que puedas ir a Amsterdam…

—Sí —le dije.

Intenté no pensar en la palabra «heridos», lo que, por supuesto, es una manera de pensar en ella.

—Hazel —me dijo mi madre—, ¿estás en la luna?

—No, estoy pensando, supongo —le contesté.

—Estás enamorada —dijo mi padre sonriendo.

—No soy una ingenua, y no estoy enamorada ni de Gus Waters ni de nadie —le contesté demasiado a la defensiva.

«Heridos.» Como si Caroline Mathers hubiera sido una bomba y, cuando explotó, a todos los que la rodeaban se les hubiera incrustado metralla.

Mi padre me preguntó si tenía trabajo para la facultad.

—Tengo unos ejercicios muy complicados de álgebra —le contesté—. Tan complicados que no podría explicar de qué van a alguien que no tiene ni idea.

—¿Y cómo está tu amigo Isaac?

—Ciego —respondí.

—Hoy estás de lo más adolescente —me dijo mi madre un poco molesta.

—¿No es lo que querías, mamá? ¿Que fuera una adolescente?

—Bueno, no necesariamente este tipo de adolescente, pero por supuesto tu padre y yo estamos muy contentos de ver que te conviertes en una jovencita, haces amigos y sales con chicos.

—No salgo con chicos —le contesté—. No quiero salir con nadie. Es una pésima idea, una pérdida de tiempo total y...

—Cariño —me interrumpió mi madre—, ¿qué te pasa?

—Que soy como... como una granada, mamá. Soy una granada, y en algún momento explotaré, así que me gustaría que hubiera el menor número de víctimas posible, ¿vale?

Mi padre ladeó un poco la cabeza, como un perro al que acaban de reñir.

—Soy una granada —repetí—. Lo único que quiero es mantenerme alejada de la gente, leer libros, pensar y estar con ustedes, porque a ustedes no puedo evitar hacerles daño. Están demasiado involucrados. Así que déjenme hacerlo, por favor ¿vale? No estoy deprimida. No necesito salir más. Y no puedo ser una adolescente normal, porque soy una granada.

—Hazel… —dijo mi padre.

Y de repente se quedó sin habla. Mi padre lloraba mucho.

—Me voy a mi habitación a leer un rato, ¿vale? Estoy bien. De verdad, estoy bien. Solo quiero ir a leer un rato.

Intenté leer la novela que me habían pedido en la facultad, pero vivíamos en una casa de paredes dramáticamente finas, así que oía casi toda la conversación que mantenían mis padres entre susurros. Mi padre decía: «Me mata», y mi madre le respondía: «Eso es precisamente lo que no tiene que oírte decir», y mi padre decía: «Lo siento, pero…», y mi madre replicaba: «¿No estás contento?», y él respondía: «Pues claro que estoy contento». Seguí intentando meterme en la novela, pero no podía dejar de escucharlos.

Encendí el ordenador para escuchar un poco de música, y mientras sonaba el grupo preferido de Augustus, The Hectic Glow, volví a las páginas que rendían homenaje a Caroline Mathers y leí lo heroicamente que había luchado, lo mucho que la echaban de menos, que se había ido a un lugar mejor, que viviría siempre en el recuerdo de los que la querían y que todos los que la conocían —todos— se habían quedado hundidos por su marcha.

Quizá se suponía que tenía que odiar a Caroline Mathers, porque había estado con Augustus, pero no la odiaba. No podía hacerme una idea demasiado clara de ella a partir de todos aquellos mensajes, pero no parecía haber mucho que odiar. Parecía más bien una enferma profesional, como yo, lo que hizo que me preocupara el hecho de que cuando yo muriera solo pudieran decir de mí que había luchado heroicamente, como si lo único que hubiera hecho en mi vida hubiera sido tener cáncer.

En cualquier caso, al final empecé a leer las breves notas de Caroline Mathers, aunque en realidad casi todas las habían escrito sus padres, porque supongo que su cáncer cerebral era de esos que hacen que dejes de ser tú antes de quitarte la vida.

Eran notas del tipo: «Caroline sigue teniendo problemas de conducta. Se enfrenta a la rabia y la frustración de no poder hablar (también a nosotros nos frustran estas cosas, por supuesto, pero nosotros disponemos de más maneras socialmente aceptables de manejar la rabia). A Gus le ha dado por llamar a Caroline EL INCREÍBLE HULK, de lo que se han hecho eco los médicos. No es fácil para ninguno de nosotros, pero cada uno proyecta su sentido del humor donde puede. Esperamos volver a casa el jueves. Ya les contaremos...».

No será necesario que diga que no volvió a casa el jueves.

Por supuesto que me puse tensa cuando me tocó. Estar con él suponía inevitablemente hacerle daño. Y eso fue lo que sentí cuando se acercó a mí, como si estuviera ejerciendo violencia sobre él, porque la ejercía.

Decidí mandarle un mensaje. Quería evitar hablar con él sobre el tema.

Hola, en fin, no sé si lo entenderás, pero no puedo besarte ni nada de eso. No doy por hecho que tú quieras, pero yo no puedo.

Cuando intento mirarte en ese sentido, solo veo los problemas que voy a causarte. Quizá no lo entiendes.

En fin, lo siento.

Me respondió a los pocos minutos:

Bien.

Le contesté.

Bien.

Me respondió:

¡Joder, deja de coquetear conmigo!

Me limité a escribir:

Bien.

Mi teléfono zumbó al momento.

Era broma, Hazel Grace. Lo entiendo. (Pero los dos sabemos que bien es una palabra para ligar. Bien REBOSA sensualidad.)

Estuve tentada de volver a responderle «Bien», pero me lo imaginé en mi funeral, y eso me ayudó a escribir lo que debía.

Lo siento.

Intenté dormir con los auriculares puestos, pero al rato entraron mis padres. Mi madre cogió a Bluie del estante y lo estrechó contra su estómago, y mi padre se sentó en mi silla y me dijo sin llorar:

—No eres una granada. Para nosotros, no. Nos da mucha pena pensar que puedes morirte, Hazel, pero no eres una granada. Eres fantástica. Tú no puedes saberlo, cariño, porque nunca has tenido una hija que se haya convertido en una brillante lectora a la que además le interesan los espantosos *realities* de la tele, pero la alegría que nos das es mucho mayor que la tristeza que sentimos por tu enfermedad.

—Vale —le contesté.

—En serio —siguió diciendo mi padre—. No te engañaría en estas cosas. Si dieras más problemas que alegrías, sencillamente te echaríamos a la calle.

—No somos unos sentimentales —añadió mi madre con cara inexpresiva—. Te dejaríamos en un orfanato con una nota pegada al pijama.

Me reí.

—No tienes que ir al grupo de apoyo —me dijo mi madre—. No tienes que hacer nada, aparte de ir a la facultad.

Me tendió el oso.

—Creo que Bluie puede dormir en la estantería esta noche —le dije—. Permíteme que te recuerde que tengo más de la mitad de treinta y tres años.

—Duerme con él esta noche —me dijo.

—Mamá —protesté.

—Se siente solo —insistió.

—¡Dios, mamá! —exclamé.

Pero cogí al idiota de Bluie y lo abracé mientras me dormía.

De hecho, todavía tenía un brazo encima de Bluie cuando me desperté, poco después de las cuatro de la madrugada, con un apocalíptico dolor surgiendo de lo más recóndito de mi cerebro.

Capítulo 7

Grité para despertar a mis padres, que entraron corriendo en mi habitación, pero no pudieron hacer nada para atenuar la supernova que me explotaba en el cerebro, una interminable cadena de petardos intracraneales que me hicieron pensar que todo había acabado de una vez para siempre. Me dije a mí misma —como me había dicho a mí misma antes— que el cuerpo se desconecta cuando el dolor es demasiado intenso, que la conciencia es temporal y que pasaría. Pero, como siempre, no me desvanecí. Me quedé en la orilla, con las olas alcanzándome, incapaz de ahogarme.

Mi padre conducía y hablaba a la vez por teléfono con el hospital mientras yo estaba tumbada en el asiento trasero, con la cabeza sobre las rodillas de mi madre. No había nada que hacer. Si gritaba, me dolía todavía más. De hecho, cualquier reacción hacía que me doliera más.

La única solución era intentar deshacer el mundo, conseguir que volviera a ser oscuro, silencioso y deshabitado, devolverlo al instante anterior al Big Bang, al principio, cuando era el Verbo, y vivir en aquel espacio vacío previo a la creación solo con el Verbo.

La gente habla del coraje de los enfermos de cáncer, y no niego que lo tengamos. Me habían pinchado, acuchillado y envenenado durante años, y todavía seguían haciéndolo. Pero no se equivoquen. En aquel momento me habría gustado mucho, mucho, morirme.

Me desperté en la UCI. Supe que era la UCI porque no estaba en una habitación individual, porque oía pitidos por todas partes y porque estaba sola. En la UCI del Hospital Infantil no dejan que la familia se quede veinticuatro horas al día, siete días por semana, para evitar el riesgo de infecciones. Se oían llantos al final de la sala. Había muerto el hijo de alguien. Estaba sola. Pulsé el botón rojo.

En unos segundos llegó una enfermera.

—Hola —la saludé.

—Hola, Hazel. Soy Alison, tu enfermera —me respondió.

—Hola, Alison Mi Enfermera —le dije.

Volvía a sentirme muy cansada, pero me incorporé un poco cuando mis padres entraron llorando y dándome besos en la cara. Intenté acercarme a ellos para abrazarlos, pero me dolía todo. Mis padres me dijeron que no tenía un tumor cerebral, que me había dolido la cabeza por la falta de oxigenación, ya que tenía los pulmones llenos de líquido. Me habían drenado del pecho un litro y medio (¡!), y por eso sentía molestias en el costado, donde de pronto vi un tubo que iba de mi pecho a un recipiente de plástico medio lleno de un líquido que a todo el mundo le parecía la cerveza preferida de mi padre. Mi madre me dijo que iba a volver a casa, que de verdad volvería, que solo tendrían que drenarme el líquido de vez en cuando y volver al BiPAP, esa máquina para las noches que introduce y saca el aire de mis pulmones de mierda. Pero añadieron que la primera noche que había pasado en el hospital me habían hecho un escáner de todo el cuerpo, y las noticias eran buenas: los tumores no crecían y no habían salido más. El dolor en el hombro había sido por la falta de oxígeno, porque el corazón había tenido que trabajar duro.

—La doctora María nos ha dicho esta mañana que sigue siendo optimista —me dijo mi padre.

La doctora María me caía bien, no decía gilipolleces, así que me alegró saberlo.

—No es nada, Hazel —continuó mi madre—. Podemos vivir con ello.

Asentí, y Alison Mi Enfermera les pidió amablemente que se marcharan. Me preguntó si quería cubitos de hielo. Le dije que sí, de modo que se sentó en la cama conmigo y me los metió en la boca con una cuchara.

—Te has pasado un par de días durmiendo —me dijo Alison—. Veamos lo que te has perdido... Un famoso se ha drogado. Los políticos no se han puesto de acuerdo. Otra famosa se ha puesto un biquini que mostraba que su cuerpo no era perfecto. Un equipo ha ganado un partido, pero otro equipo lo ha perdido.

Sonreí.

—No puedes desaparecer así como así, Hazel. Te pierdes demasiadas cosas —siguió diciendome.

—¿Más? —le pregunté, señalando con la cabeza la cubitera de corcho blanco que tenía en las manos.

—No debería —me respondió—, pero soy una rebelde.

Me dio otra cucharada de hielo picado. Se lo agradecí en un murmullo. Que Dios bendiga a las buenas enfermeras.

—¿Estás cansada? —me preguntó.

Asentí.

—Duerme un rato —me dijo—. Intentaré que no te interrumpan para que tengas un par de horas antes de que vengan a revisarte las constantes vitales y esas cosas.

Volví a darle las gracias. En un hospital das las gracias muchas veces. Intenté acomodarme en la cama.

—¿No vas a preguntar por tu novio? —me preguntó.

—No tengo novio —le contesté.

—Bueno, hay un chico que apenas se ha movido de la sala de espera desde que te trajeron —me dijo.

—No me ha visto así, ¿verdad?

—No. Solo pueden entrar los familiares.

Asentí y me sumí en un sueño acuoso.

Tardaría seis días en volver a casa, seis días perdidos contemplando las placas del techo, viendo la tele, durmiendo, sintiendo dolor y deseando que el tiempo pasara. No vi ni a Augustus ni a nadie aparte de mis padres. Mi pelo parecía el nido de un pájaro, y andaba pesadamente, como un paciente senil, aunque me sentía un poco mejor cada día. Cada vez que me despertaba, me parecía un poco más a mí misma. «Dormir va bien para el cáncer», me dijo el doctor Jim por enésima vez inclinándose hacia mí, rodeado de un grupo de estudiantes de medicina.

—Entonces soy una máquina contra el cáncer —le dije.

—Lo eres, Hazel. Sigue descansando y seguramente podremos mandarte a casa pronto.

El martes me dijeron que volvería a casa el miércoles. El miércoles, dos estudiantes de medicina, sin apenas control por parte de los médicos, me quitaron el tubo del pecho. Sentí como si me pegaran un navajazo en el costado, y la cosa no iba bien en general, así que decidieron que me quedaría hasta el jueves. Empezaba a pensar que formaba parte de algún angustioso experimento sobre retraso permanente de la recompensa cuando el viernes por la mañana apareció la doctora María, husmeó a mi alrededor un minuto y me dijo que podía marcharme.

Mi madre abrió su enorme bolso para mostrarme que siempre llevaba consigo mi ropa de calle. Llegó una enfermera y me quitó el gota a gota. Me sentí liberada, aunque tenía que seguir cargando con la bombona de oxígeno. Fui al baño, me di mi primera ducha en una semana, me vestí y, cuando salí, estaba tan cansada que tuve que tumbarme para recuperar la respiración.

—¿Quieres ver a Augustus? —me preguntó mi madre.

—Supongo —le contesté un minuto después.

Me levanté, me arrastré hasta una silla de plástico apoyada en la pared y metí la bombona debajo de la silla. Me quedé agotada.

A los pocos minutos mi padre volvió con Augustus. Llevaba el pelo alborotado y el sudor le resbalaba por la frente. Al verme, me lanzó la auténtica sonrisa de oreja a oreja de Augustus Waters y no pude evitar devolvérsela. Se sentó en el sillón azul de imitación de piel, junto a mi silla, y se inclinó hacia mí. Era evidente que no podía reprimir la sonrisa.

Mis padres nos dejaron solos y me sentí un poco incómoda. Hice un esfuerzo por mirarlo a los ojos, aunque eran tan bonitos que costaba mirarlos.

—Te he echado de menos —me dijo Augustus.

—Gracias por no intentar verme cuando estaba hecha un cristo —le dije con voz más baja de lo que habría querido.

—Para ser sincero, sigues teniendo una pinta horrorosa.

Me reí.

—Yo también te he echado de menos. Es solo que no quería que vieras… esto. Solo quiero que… No importa. No siempre se consigue lo que se quiere.

—¿En serio? —me preguntó—. Siempre había pensado que el mundo era una gran fábrica de conceder deseos.

—Pues resulta que no es el caso —le respondí.

Estaba guapísimo. Quiso cogerme de la mano, pero negué con la cabeza.

—No —le dije en voz baja—. Si vamos a salir juntos, no quiero que sea así.

—Bien —me dijo—. Bueno, tengo noticias de las altas instancias que conceden deseos, una buena y otra mala.

—Cuéntame.

—La mala noticia es que obviamente no podemos ir a Amsterdam hasta que te mejores. Pero los genios harán su magia en cuanto estés bien.

—¿Esa es la buena noticia?

—No. La buena noticia es que, mientras dormías, Peter van Houten ha compartido un poco más de su brillante cerebro con nosotros.

Volvió a buscar mi mano, pero esta vez para darme una hoja doblada varias veces con un membrete que decía: «Peter van Houten, novelista emérito».

No la leí hasta que llegué a casa y me senté en mi cama, grande y vacía, donde era imposible que los médicos me interrumpieran. Tardé un siglo en entender la letra inclinada e irregular de Van Houten.

Querido señor Waters:

Acabo de recibir su correo electrónico con fecha 14 de abril, y obviamente la complejidad shakespeariana de su tragedia me ha impresionado. En esta historia todo el mundo carga con una *hamartía* sólida como una roca: ella, estar tan enferma; usted, estar tan bien. Si ella estuviera mejor, o usted más enfermo, las estrellas no se habrían cruzado de forma tan terrible, pero la naturaleza de las estrellas es cruzarse, y nunca Shakespeare se equivocó tanto como cuando hizo decir a Casio: «La culpa, querido Bruto, no la tienen nuestras estrellas / sino nosotros». Es muy fácil decirlo cuando eres un noble romano (o Shakespeare), pero nuestras estrellas tienen no poca culpa de lo que nos sucede.

Y hablando de las imperfecciones del viejo Will, lo que me escribe sobre la joven Hazel me recuerda al soneto 55 del Bardo, que, como sabe, empieza diciendo: «Ni el mármol ni los regios monumentos / son más indestructibles que estas rimas; / tú brillarás en ellas cuando el tiempo / desgaste, vil, las piedras que ahora brillan». (No tiene que ver con el tema, pero ¿qué es un tiempo vil? El tiempo nos aprieta a todos.) El poema es excelente, pero embustero. Es cierto que recordamos las indestructibles rimas de Shakespeare, pero ¿qué recordamos de la persona a la que se las dedica? Nada. Sabemos seguro que era un hombre, pero todo lo demás son conjeturas. Shakespeare nos contó muy poco del hombre al que sepultó en su sarcófago lingüístico. (Lo que también pone de manifiesto que, cuando hablamos de literatura, lo hacemos en presente. Cuando hablamos del muerto, no somos tan amables.) No se inmortaliza a los seres perdidos escribiendo sobre ellos. El lenguaje entierra, pero no resucita. (En honor a la verdad, no soy el primero que hace esta observación. Véase el poema de MacLeish «Ni el mármol ni los regios monumentos», que contiene el heroico verso «Tendré que decirte que vas a morir y que nadie te recordará».)

Estoy divagando, pero el problema es el siguiente: a los muertos solo se les ve con el terrible ojo sin párpado de la memoria. Los vivos, gracias a Dios, siguen sorprendiéndose y decepcionándose. Su Hazel está viva, Waters, y no debe usted imponer su voluntad sobre la decisión de otra persona, en especial una decisión muy meditada. Quiere evitarle el dolor, y usted debería permitírselo. Quizá no le parezca convincente la lógica de la joven Hazel, pero llevo en este valle de lágrimas más tiempo que usted, y desde mi punto de vista la loca no es ella.

Atentamente,

Peter van Houten

La había escrito él de verdad. Me chupé el dedo, froté el papel, y la tinta se corrió un poco, así que supe que era real.

—Mamá —dije.

Me dirigí a ella en voz baja, aunque no tenía por qué. Siempre estaba esperándome. Asomó la cabeza por la puerta.

—¿Estás bien, cariño?

—¿Podemos llamar a la doctora María y preguntarle si viajar al extranjero me mataría?

Capítulo 8

Un par de días después nos reunimos con el equipo de oncólogos. Cada cierto tiempo un grupo de médicos, trabajadores sociales, fisioterapeutas y demás se reunía en una sala de conferencias alrededor de una gran mesa y comentaba mi situación. (No mi situación con Augustus Waters, ni la situación de Amsterdam, sino la de mi cáncer.)

La doctora María dirigía la reunión. Me abrazó cuando llegué. Se pasaba el día dando abrazos.

Creo que me encontraba un poco mejor. Dormir con el BiPAP toda la noche hacía que sintiera los pulmones casi normales, aunque la verdad es que no recordaba qué eran unos pulmones normales.

Todo el mundo llegó e hizo el numerito de apagar sus celulares y todo eso para que quedara claro que iban a dedicarme toda su atención.

—La buena noticia es que el Phalanxifor sigue controlando el crecimiento de tus tumores —dijo la doctora María—, pero obviamente todavía hay serios problemas con la acumulación de líquido. La pregunta es: ¿cómo debemos actuar?

Me miró a mí, como si esperara que respondiera.

—Bueno —dije—, creo que no soy la persona más cualificada de esta sala para contestar a esa pregunta.

La doctora sonrió.

—Sí, estaba esperando a que respondiera el doctor Simons. ¿Doctor Simons?

Era otro oncólogo, no sé de qué especialidad.

—Veamos. Sabemos por otros pacientes que la mayoría de los tumores acaban encontrando la manera de seguir creciendo a pesar del Phalanxifor, pero, si este fuera el caso, los veríamos crecer en los escáneres, cosa que no vemos. Así que todavía no lo es.

«Todavía», pensé.

El doctor Simons daba golpecitos a la mesa con los dedos.

—Lo que tenemos que pensar es que es posible que el Phalanxifor esté empeorando el edema, pero, si lo interrumpiéramos, tendríamos que enfrentarnos a problemas más serios.

—La verdad es que no sabemos cuáles son los efectos a largo plazo del Phalanxifor —añadió la doctora María—. A muy poca gente se le ha administrado tanto tiempo como a ti.

—Entonces, ¿no vamos a hacer nada?

—Vamos a seguir como hasta ahora —me contestó la doctora María—, pero tendremos que hacer algo más para impedir que aumente el edema.

Por alguna razón sentí náuseas, como si fuera a vomitar. Odiaba las reuniones del equipo de oncólogos en general, pero odié esa en particular.

—Tu cáncer no está retrocediendo, Hazel, pero hay gente que vive mucho tiempo con tu nivel de invasión tumoral.

No pregunté qué significaba «mucho tiempo». No era la primera vez que cometía ese error.

—Sé que no tienes esa sensación, porque acabas de salir de la UCI, pero el líquido es controlable; al menos, de momento.

—¿No me podrían hacer un trasplante o algo así? —le pregunté.

La doctora María apretó los labios.

—Desgraciadamente, no se te consideraría una buena candidata al trasplante —me contestó.

Entendí: no merece la pena gastar unos buenos pulmones en un caso perdido.

Asentí intentando que no pareciera que el comentario me había hecho daño. Mi padre empezó a sollozar. No lo miraba, pero durante un largo rato nadie dijo nada, de modo que en la sala solo se oían sus hipidos.

Me fastidiaba hacerle daño. La mayoría de las veces conseguía no tenerlo presente, pero la inexorable verdad era que, por muy contentos que estuvieran mis padres de tenerme con ellos, yo era el alfa y la omega de su sufrimiento.

Justo antes del milagro, cuando estaba en la UCI, parecía que iba a morirme, mi madre me decía que podía dejarme ir y yo lo intentaba, pero mis pulmones seguían buscando aire, mi madre se acercó a mi padre y le susurró algo que habría preferido no escuchar y que espero que nunca descubra que lo escuché. Le dijo: «Ya no seré madre». Me partió el alma.

No pude dejar de pensar en ello durante la reunión del equipo oncológico. No podía quitarme de la cabeza su tono cuando lo dijo, como si nunca pudiera volver a estar bien, y probablemente así sería.

En cualquier caso, al final decidimos dejar las cosas como estaban, solo que me drenarían el líquido más a menudo. Antes de dar por concluida la reunión pregunté si podía viajar a Amsterdam, y la verdad es que el doctor Simons se rió, literalmente, pero la doctora María dijo:

—¿Por qué no?

—¿Por qué no? —preguntó el doctor Simons con gesto de duda.

—Sí. No veo por qué no —dijo la doctora María—. Al fin y al cabo, en los aviones hay oxígeno.

—¿Van a facturar un BiPAP? —preguntó el doctor Simons.

—Sí, o pueden tener uno dentro esperándola —respondió María.

—¿Meter a un paciente, y a uno de los más esperanzadores tratados con Phalanxifor, en un vuelo de ocho horas, nada menos, que lo aleja de los únicos médicos que conocen bien su caso? Es la mejor manera de que se produzca un desastre.

La doctora María se encogió de hombros.

—Aumentaría un poco el riesgo —admitió—. Pero es tu vida —concluyó dirigiéndose a mí.

Pero no era así. De vuelta a casa, en el coche, mis padres me comunicaron que no iría a Amsterdam a menos que todos los médicos estuvieran de acuerdo en que no correría peligro.

Aquella noche, después de cenar, me llamó Augustus. Yo estaba ya en la cama —de momento tenía que irme a dormir después de cenar—, apoyada en la almohada, con Bluie y con el ordenador en el regazo.

—Malas noticias —le dije nada más descolgar.

—Mierda. ¿Qué pasa? —me preguntó.

—No puedo ir a Amsterdam. Un médico cree que es mala idea.

Augustus se quedó un instante en silencio.

—Joder —dijo—. Tendría que habérmelo callado y haberte llevado a Amsterdam directamente desde los *Funky Bones*.

—Pero entonces seguramente habría sufrido en Amsterdam un episodio fatal de desoxigenación y habrían tenido que mandar mi cadáver en la bodega de un avión —le dije.

—Bueno, sí —admitió—, pero antes mi gran gesto romántico me habría permitido echar un polvo.

Me reí a carcajadas, con tanta fuerza que sentí un pinchazo en el pecho, donde había tenido clavado el tubo.

—Te ríes porque es verdad —me dijo.

Volví a reírme.

—Es verdad, ¿no? —me preguntó.

—Seguramente no —le contesté. Y al segundo añadí—: Aunque nunca se sabe.

—Me moriré virgen —protestó desolado.

—¿Eres virgen? —le pregunté sorprendida.

—Hazel Grace, ¿tienes papel y bolígrafo?

Le dije que sí.

—Bien. Dibuja un círculo, por favor.

Lo hice.

—Ahora dibuja otro círculo dentro de ese círculo.

Lo hice.

—El círculo grande es el de los vírgenes. El círculo pequeño es el de los chicos de diecisiete años con una sola pierna.

Volví a reírme y le dije que el hecho de que la mayoría de los compromisos sociales tuvieran lugar en un hospital infantil tampoco incentivaba demasiado la promiscuidad. Luego hablamos del brillante comentario de Peter van Houten sobre la vileza del tiempo, y, aunque yo estaba en mi cama y él estaba en su sótano, realmente sentía que habíamos vuelto a aquel lugar previo a la creación, un lugar al que me gustaba mucho ir con él.

Colgué el teléfono. Mis padres entraron en mi habitación, y aunque mi cama no era lo bastante grande para los tres, se tumbó cada uno a un lado y vimos el *reality* de modelos en mi tele pequeña. Expulsaron a una tal Selena, una chica que no me gustaba nada, así que me alegré mucho. Luego mi madre me conectó al BiPAP y me tapó, y mi padre me pinchó con la barba cuando me besó en la frente. Cerré los ojos.

El BiPAP básicamente controlaba mi respiración al margen de mí, lo cual era muy molesto, pero lo peor era que hacía un ruido espantoso, rugía en cada inhalación y zumbaba cuando exhalaba el aire. Pensé que sonaba como un dragón que respirara a la vez que yo, como si tuviera por mascota a un dragón que se acurrucaba a mi lado y me quería tanto que sincronizaba su respiración con la mía. Eso era lo que pensaba cuando me quedé dormida.

A la mañana siguiente me levanté tarde. Vi la tele desde la cama, consulté mi correo y al rato empecé a escribir un e-mail a

Peter van Houten para explicarle que no podría ir a Amsterdam, pero le juré por mi madre que jamás compartiría con nadie la menor información sobre los personajes, que ni siquiera quería compartirla, porque era una persona tremendamente egoísta, de modo que le rogaba que al menos me dijera si el Tulipán Holandés era sincero y si la madre de Anna se casaba con él, y también qué pasaba con Sísifo, el hámster.

Pero lo no envié. Era demasiado patético incluso para mí.

Hacia las tres, cuando suponía que Augustus habría vuelto del instituto, salí al patio y lo llamé. Mientras el teléfono sonaba, me senté en el césped, que estaba muy crecido y lleno de dientes de león. Los columpios seguían allí, y la maleza cubría la pequeña zanja que había hecho yo misma de niña impulsándome con los pies. Recordé a mi padre trayendo a casa los columpios del Toys "R" Us y montándolos en el patio con un vecino. Se empeñó en columpiarse él primero para probarlos, y el maldito trasto casi se rompe.

El cielo estaba gris, bajo y con nubes densas, pero todavía no llovía. Colgué al oír el contestador automático de Augustus, dejé el teléfono en el suelo, a mi lado, y seguí observando los columpios y pensando que daría todos los días de enfermedad que me quedaban por un par de días sana. Intenté decirme a mí misma que podría ser peor, que el mundo no era una fábrica de conceder deseos, que estaba viviendo con cáncer, no muriéndome de cáncer, que no debía dejarle que me matara antes de tiempo, y entonces empecé a murmurar «idiota, idiota, idiota, idiota, idiota, idiota» una y otra vez, hasta que el sonido anuló su significado. Todavía estaba diciéndolo cuando Augustus me llamó.

—Hola —lo saludé.

—Hazel Grace —me dijo.

—Hola —repetí.

—¿Estás llorando, Hazel Grace?

—Más o menos.

—¿Por qué? —me preguntó.

—Porque estoy… Quiero ir a Amsterdam y quiero que me diga qué pasa después del final del libro, y no quiero llevar la vida que llevo, y además este cielo me deprime, y estoy viendo los viejos columpios que me compró mi padre cuando era niña.

—Tengo que ver ahora mismo esos viejos columpios que te hacen llorar —me dijo—. En veinte minutos estoy ahí.

Me quedé en el patio, porque, como yo no era muy llorona, a mi madre le afectaba mucho verme llorar y sabía que se empeñaría en charlar y en comentar si debía plantearme ajustar la medicación, y solo pensar en esa conversación me entraban ganas de vomitar.

No es que tuviera un recuerdo claro y conmovedor de un padre sano empujando a una niña sana que le dice «más alto, más alto, más alto», ni de algún otro momento metafóricamente significativo. Los dos pequeños columpios estaban ahí, abandonados, todavía colgando tristemente de una plancha de madera enmohecida y con los asientos en forma de sonrisa dibujada por un niño.

Oí abrirse la puerta corredera de vidrio detrás de mí. Me volví. Era Augustus, que llevaba unos pantalones caqui y una camisa a cuadros de manga corta. Me sequé la cara con la manga y sonreí.

—Hola —le dije.

Tardó un segundo en sentarse en el suelo a mi lado, e hizo una mueca cuando se cayó de culo con más bien poca gracia.

—Hola —me contestó por fin.

Lo miré. Él miraba el patio.

—Ahora lo entiendo —añadió al tiempo que me pasaba un brazo por encima de los hombros—. Son unos columpios tristes de mierda.

Le di un golpecito en el hombro con la cabeza.

—Gracias por venir.

—Ya ves que intentar mantener las distancias conmigo no va a cambiar mis sentimientos.

—Lo imagino —le contesté.

—Todos tus esfuerzos por salvarme de ti fracasarán.

—¿Por qué? ¿Por qué aun así te gustaría? ¿No has tenido ya bastante? —le pregunté.

Pensaba en Caroline Mathers.

Gus no me contestó. Me agarró con fuerza el brazo izquierdo.

—Vamos a hacer algo con los putos columpios —me dijo—. Te aseguro que son el noventa por ciento del problema.

Cuando ya me hube recuperado, entramos y nos sentamos en el sofá uno al lado del otro, con la mitad del portátil apoyado en su rodilla, y la otra mitad en la mía.

—Qué caliente —dije al sentir la base del ordenador.

—Por fin —me contestó sonriendo.

Gus cargó la página Llévatelo Gratis y escribimos juntos un anuncio.

—¿Título? —me preguntó.

—Columpios buscan hogar —le contesté.

—Columpios desesperadamente solos buscan un hogar feliz —dijo él.

—Columpios apedofilados que se sienten solos buscan culos de niños —dije yo.

Se rió.

—Es eso.

—¿El qué?

—Lo que me gusta de ti. ¿Eres consciente de lo difícil que es conocer a una chica que se inventa un participio del adjetivo «pedófilo»? Estás tan ocupada siento tú que no tienes ni idea de lo absolutamente original que eres.

Respiré hondo por la nariz. Nunca había suficiente aire en el mundo, pero su escasez era especialmente aguda en aquel momento.

Escribimos el anuncio juntos, corrigiéndonos el uno al otro. Al final colgamos este:

Columpios desesperadamente solos
buscan un hogar feliz

Columpios bastante viejos, aunque en perfectas condiciones, buscan un nuevo hogar. Construye recuerdos con tus hijos para que algún día echen un vistazo al patio y sientan una punzada de nostalgia tan desesperada como la que he sentido yo esta tarde. Todo es frágil y efímero, querido lector, pero con estos columpios tus hijos aprenderán a familiarizarse con las subidas y bajadas de la vida humana poco a poco y sin peligro, y aprenderán también la lección más importante de todas: por mucho impulso que te des, por muy alto que llegues, no puedes dar una vuelta entera.

Los columpios viven actualmente cerca de la calle Ochenta y tres con Spring Mill.

Después encendimos un rato la tele, pero no encontramos nada que nos interesara, así que cogí *Un dolor imperial* de la mesita de noche, lo llevé a al comedor y Augustus Waters leyó en voz alta para mí mientras mi madre, que estaba haciendo la comida, escuchaba.

—«El ojo de cristal de la madre miró dentro de sí» —empezó a leer Augustus.

Mientras leía, sentí que me enamoraba de él como cuando sientes que estás quedándote dormida: primero lentamente, y de repente de golpe.

Una hora después, cuando chequeé mi correo, vi que podíamos elegir entre muchos pretendientes de los columpios. Al final elegimos a un tipo llamado Daniel Álvarez, que había adjuntado una foto de sus tres hijos jugando a videojuegos y que había titulado su respuesta: «Solo quiero que salgan a jugar». Le contesté diciéndole que pasara a recogerlos cuando quisiera.

Augustus me preguntó si quería ir con él al grupo de apoyo, pero, tras un agitado día dedicado al cáncer, estaba realmente cansada, así que pasé. Estábamos sentados juntos en el sofá y se levantó para marcharse, pero se sentó de nuevo y me besó rápidamente en la mejilla.

—¡Augustus! —exclamé.

—Es un beso de amigos —me contestó.

Volvió a levantarse y esta vez se quedó de pie. Luego dio un par de pasos hacia mi madre.

—Es siempre un placer verla —le dijo.

Mi madre abrió los brazos, y Augustus se inclinó y besó a mi madre en la mejilla.

—¿Lo ves? —dijo volviéndose hacia mí.

Me fui a la cama nada más terminar de cenar, con el BiPAP sofocando el sonido del mundo que existía más allá de mi habitación.

Nunca volví a ver los columpios.

Dormí muchas horas, unas diez, quizá porque tardaba en recuperarme, porque dormir va bien para el cáncer, y quizá también porque era una adolescente que no tenía que despertarse a ninguna hora en concreto. Todavía no tenía fuerzas para volver a la facultad. Cuando por fin me apeteció levantarme, me quité la mascarilla del BiPAP de la nariz, me coloqué los tubos del oxígeno, los conecté y cogí el portátil de debajo de la cama, donde lo había dejado la noche anterior.

Tenía un e-mail de Lidewij Vliegenthart.

> Querida Hazel:
>
> Los genios me han comunicado que vendrás a visitarnos con Augustus Waters y tu madre el 4 de mayo. ¡Solo falta una semana! Peter y yo estamos encantados e impacientes por conoceros. Vuestro hotel, el Filosoof, está a solo una calle de la casa de Peter. Quizá deberíamos dejaros un día para el *jet lag*, ¿verdad? Si os parece bien, nos encontraremos en casa de Peter el 5 de mayo por la mañana, sobre las diez, para tomar un café y

para que responda a tus preguntas sobre su libro. Y quizá después podríamos ir a un museo o a la casa de Ana Frank.

Mis mejores deseos,

Lidewij Vliegenthart
Asistente ejecutiva
del señor Peter van Houten,
autor de *Un dolor imperial*

—Mamá —dije.

Mi madre no me contestó.

—¡MAMÁ! —grité.

Nada.

—¡¡¡MAMÁ!!! —repetí más fuerte.

Llegó corriendo con una toalla rosa raída bajo las axilas, chorreando y un poco asustada.

—¿Qué pasa?

—Nada. Perdona. No sabía que estabas duchándote —le dije.

—Estaba bañándome —me contestó—. Solo… —Cerró los ojos—. Solo intentaba tomar un baño cinco segundos. Perdona. ¿Pasa algo?

—¿Puedes llamar a los genios y decirles que se ha suspendido el viaje? Acabo de recibir un e-mail de la asistente de Peter van Houten. Cree que vamos a ir.

Frunció los labios y apartó la mirada.

—¿Qué? —le pregunté.

—Se supone que no puedo decírtelo hasta que tu padre llegue a casa.

—¿Qué? —repetí.

—Vamos a ir —me dijo por fin—. La doctora María nos llamó ayer noche e insistió mucho en que tienes que vivir tu…

—¡MAMÁ, TE QUIERO MUCHO! —grité.

Mi madre se acercó hasta mi cama para que la abrazara.

Como sabía que a esas horas Augustus estaba en el instituto, le mandé un mensaje.

> ¿Sigues libre el 3 de mayo? :-)

Me contestó inmediatamente:

> Estoy ya en las nubes.

Si conseguía seguir viva una semana más, descubriría los secretos no escritos de la madre de Anna y del Tulipán Holandés. Me miré el pecho por debajo de la blusa.

—No dispersen su mierda —susurré a mis pulmones.

Capítulo 9

El día antes de volar a Amsterdam volví al grupo de apoyo por primera vez desde que había conocido a Augustus. En el corazón de Jesús literal había cambiado un poco el reparto. Llegué temprano, con tiempo suficiente para que Lida, que se había recuperado de un grave cáncer apendicular, me pusiera al día sobre todo el mundo mientras me comía una galleta con trocitos de chocolate frente a la mesa desierta.

Michael, el niño de doce años con leucemia, había muerto. Lida me contó que peleó duro, como si hubiera otra manera de pelear. Los demás seguían por allí. Ken estaba SEC después de la radioterapia. Lucas había sufrido una recaída, cosa que Lida me dijo con una sonrisa triste y encogiéndose de hombros, como si alguien dijera que un alcohólico había vuelto a beber.

Una chica regordeta, bastante simpática, se acercó a la mesa, saludó a Lida y se presentó diciéndome que se llamaba Susan. No sé lo que le pasaba, pero una cicatriz le cruzaba la mejilla desde un lado de la nariz hasta los labios. Había intentado cubrírsela con maquillaje, pero lo único que había conseguido era que destacara todavía más. Yo llevaba tanto rato de pie que empezó a faltarme el aire, así que les dije que iba a sentarme cuando se abrió la puerta del ascensor y vi a Isaac con su madre. Llevaba gafas de sol. Con una mano se agarraba al brazo de su madre, y con la otra sujetaba un bastón.

—Hazel, del grupo de apoyo, no Mónica —dije cuando se hubo acercado lo suficiente.

Isaac sonrió.

—Hola, Hazel, ¿qué tal? —me preguntó.

—Bien. Desde que te quedaste ciego, estoy cada día más buena.

—Apuesto a que sí —me dijo.

Su madre lo condujo hasta una silla, le dio un beso en la cabeza y volvió al ascensor arrastrando los pies. Isaac palpó un poco a su alrededor y se sentó. Yo me senté a su lado.

—¿Cómo te va todo?

—Muy bien. Estoy contento de estar en casa, supongo. Gus me dijo que has estado en la UCI.

—Sí —le dije.

—Mierda —me respondió.

—Ahora estoy mucho mejor. Mañana voy a Amsterdam con Gus.

—Ya lo sé. Estoy al corriente de tu vida, porque Gus no habla de otra cosa.

Sonreí. Patrick carraspeó.

—¿Y si nos sentamos todos? —comentó.

De pronto me vio.

—¡Hazel! —exclamó—. ¡Me alegro mucho de verte!

Todo el mundo se sentó, Patrick empezó a contar otra vez la historia de su impotencia y yo caí en la rutina del grupo de apoyo: me comunicaba con Isaac por medio de suspiros, lamentaba lo que le pasaba a todo el mundo en aquella sala y también fuera de ella, me distraía de la conversación y me centraba en mi respiración y en mi dolor. El mundo seguía su curso sin que yo participara del todo, y solo desperté de la ensoñación cuando alguien dijo mi nombre.

Fue Lida la fuerte. Lida la recuperada. La rubia, saludable y corpulenta Lida, que formaba parte del equipo de natación de su instituto. Lida, a la que solo le faltaba el apéndice, decía:

—Hazel es un gran referente para mí. De verdad lo es. Sigue luchando su batalla, levantándose cada mañana para ir a la guerra sin lamentarse. Es muy fuerte. Es mucho más fuerte que yo. Ojalá tuviera yo su fuerza.

—¿Hazel? —preguntó Patrick—. ¿Cómo te sientes con este comentario?

Me encogí de hombros y miré a Lida.

—Te doy mi fuerza a cambio de tu recuperación.

Nada más decirlo me sentí culpable.

—No creo que Lida haya querido decir eso —dijo Patrick—. Creo que…

Pero había dejado de escucharle.

Después de las oraciones por los vivos y la infinita letanía de los muertos (con Michael añadido al final), nos cogimos de las manos y dijimos:

—Hoy es el mejor día de nuestra vida.

Lida corrió hacia mí disculpándose y dándome explicaciones.

—No, no, tranquila —le dije haciéndole un gesto de despedida con la mano. Y me dirigí a Isaac—: ¿Te importa subir conmigo?

Me cogió del brazo y fui con él hasta el ascensor, contenta de tener una excusa para evitar la escalera. Casi había llegado ya al ascensor cuando vi a su madre en una esquina del corazón literal.

—Estoy aquí —le dijo a Isaac, y sin preguntarme cambió mi brazo por el suyo—. ¿Vienes con nosotros?

—Claro —le contesté.

Me sentí mal por él. Aunque odiaba que la gente sintiera lástima por mí, no pude evitar sentirla por él.

Isaac vivía en un pequeño chalet en Meridian Hills, cerca de su lujosa escuela privada. Nos sentamos en el comedor mientras su madre iba a la cocina a preparar la cena, y me preguntó si quería jugar a algo.

—Sí —le respondí.

Me pidió el mando. Se lo di y encendió la tele y un ordenador conectado a ella. La pantalla se quedó en negro, pero a los pocos segundos se oyó una voz profunda.

«Engaño —dijo la voz—. ¿Un jugador o dos?»

—Dos —contestó Isaac—. Pausa.

Se volvió hacia mí.

—Siempre juego a esto con Gus, pero me pone de los nervios, porque es un suicida total. Es demasiado agresivo salvando a civiles.

—Sí —le dije recordando la noche de los trofeos rotos.

—Continuar —añadió Isaac.

«Jugador uno, identifícate.»

—Esta es la voz supersexy del jugador uno —dijo Isaac.

«Jugador dos, identifícate.»

—Supongo que yo soy el jugador dos —dije yo.

El sargento Max Mayhem y el soldado Jasper Jacks se despiertan en una habitación oscura y vacía de unos cuatro metros cuadrados.

Isaac señaló la tele, como si yo tuviera que hablar con ella o algo así.

—Eh… ¿Hay algún interruptor?

No.

—¿Hay alguna puerta?

El soldado Jacks localiza la puerta. Está cerrada.

—Hay una llave encima del marco de la puerta —interrumpió Isaac.

Sí, hay una llave.

—Mayhem abre la puerta.

Sigue estando totalmente oscuro.

—Saco un cuchillo —dijo Isaac.

—Saco un cuchillo —dije yo también.

Un niño —supongo que el hermano de Isaac— entró como una flecha desde la cocina. Tenía unos diez años, era delgado y estaba lleno de energía. Corrió por el comedor dando saltos y gritó imitando a la perfección la voz de Isaac:

—ME MATO.

El sargento Mayhem se coloca el cuchillo en el cuello. ¿Estás seguro de que…?

—No —contestó Isaac—. Pausa. Graham, no me obligues a pegarte una patada en el culo.

Graham se rió y salió corriendo por un pasillo.

Isaac y yo, en los papeles de Mayhem y Jacks, nos abrimos camino a oscuras hasta que tropezamos con un tipo al que apuñalamos después de conseguir que nos dijera que estábamos en una cueva de una cárcel ucraniana, a más de un kilómetro de profundidad. Mientras avanzábamos, el sonido —un río subterráneo, voces hablando en ucraniano con acento inglés— nos orientaba por la cueva, pero en el juego no se veía nada. Cuando llevábamos una hora jugando oímos gritos de un prisionero desesperado que suplicaba: «Dios mío, ayúdame. Dios mío, ayúdame».

—Pausa —dijo Isaac—. Aquí es cuando Gus siempre se empeña en encontrar al prisionero, aunque eso impide ganar la partida, y la única manera de liberarlo es ganar el juego.

—Sí. Se toma los videojuegos demasiado en serio —le respondí—. Le entusiasman las metáforas.

—¿Te gusta? —me preguntó Isaac.

—Claro que me gusta. Es genial.

—Pero no quieres salir con él.

Me encogí de hombros.

—Es complicado.

—Sé lo que te pasa. No quieres que luego no pueda soportarlo. No quieres que haga como Mónica —me dijo.

—Más o menos —le respondí.

Pero no era eso. Lo cierto era que no quería que le pasara como a Isaac.

—Para ser justos con Mónica —añadí—, lo que tú le hiciste a ella tampoco fue muy bonito.

—¿Qué le hice? —me preguntó poniéndose a la defensiva.

—Ya sabes, quedarte ciego y esas cosas.

—Pero no es culpa mía —me contestó Isaac.

—No digo que fuera culpa tuya. Digo que no fue bonito.

Capítulo 10

Solo podíamos llevar una maleta. Yo no podía cargar con la mía, y mi madre insistió en que no podía llevar dos, así que tuvimos que repartir el espacio de la maleta negra que les regalaron a mis padres por su boda hace mil años, una maleta que se suponía que iba a pasarse la vida viajando a lugares exóticos, pero que acabó yendo y viniendo a Dayton, donde la empresa Morris Property tenía una sede a la que solía ir mi padre.

Discutí con mi madre porque yo creía que debía disponer de algo más de la mitad de la maleta, ya que, para empezar, sin mí y sin mi cáncer nunca habríamos ido a Amsterdam. Mi madre replicó que como era el doble de gorda que yo, y por lo tanto necesitaba más cantidad de tela para cubrir sus vergüenzas, merecía como mínimo dos terceras partes de la maleta.

Al final perdimos las dos. Suele pasar.

Aunque nuestro vuelo salía a las doce del mediodía, mi madre me despertó a las cinco y media de la mañana. Encendió la luz y gritó «¡AMSTERDAM!». Se pasó la mañana corriendo de un lado a otro, asegurándose de que llevábamos adaptadores internacionales para los enchufes, comprobando setenta veces que teníamos suficientes bombonas de oxígeno, que estaban llenas, etcétera, mientras yo salía de la cama y me vestía con la ropa que había elegido para el viaje (unos bluyines, un top rosa y una chaqueta negra por si hacía frío en el avión).

Hacia las seis y cuarto habíamos metido ya la maleta en el coche, de modo que mi madre insistió en que desayunáramos con mi padre, pese a que me negaba por principio a comer antes de que hubiera amanecido. No era una campesina rusa del siglo XIX que tenía que coger fuerzas para una dura jornada en el campo. Aun así, intenté tragarme un par de huevos mientras mi padre y mi madre disfrutaban de unas versiones caseras del McMuffin de McDonald's, que tanto les gustaba.

—¿Por qué la comida del desayuno es comida para el desayuno? —les pregunté—. ¿Por qué no podemos desayunar un curry?

—Hazel, come.

—Pero ¿por qué? —pregunté—. Lo digo en serio. ¿Por qué los huevos revueltos se limitan exclusivamente al desayuno? Te haces un bocadillo de beicon y no pasa nada, pero en cuanto el bocadillo lleva huevo, zas, es un desayuno.

—Cuando vuelvas, tomaremos el desayuno en la cena, ¿de acuerdo? —me contestó mi padre con la boca llena.

—No quiero tomar el desayuno en la cena —le contesté dejando los cubiertos en mi plato, que estaba casi lleno—. Lo que quiero es comer huevos revueltos para cenar sin esa ridícula idea de que una comida que incluye huevos revueltos es un desayuno, aunque te lo comas para cenar.

—Vas a tener que elegir tus batallas en la vida, Hazel —me dijo mi madre—. Pero si este es el objetivo por el que quieres luchar, estaremos contigo.

—Bueno, algo detrás de ti —añadió mi padre.

Mi madre se rió.

Sabía que era una tontería, pero lo de los huevos revueltos no me parecía bien.

Cuando acabaron de comer, mi padre fregó los platos y nos acompañó al coche. Por supuesto, empezó a llorar y me besó en la mejilla con la cara mojada y sin afeitar.

—Te quiero. Estoy muy orgulloso de ti —me susurró apretando la nariz contra mi pómulo.

(«¿Por qué?», me pregunté.)

—Gracias, papá.

—Nos vemos dentro de unos días, ¿vale, cariño? Te quiero mucho.

—Yo también te quiero, papá. —Sonreí—. Y son solo tres días.

Le dije adiós con la mano mientras salíamos del camino marcha atrás. Él se despedía también con la mano y lloraba. Se me pasó por la cabeza la idea de que seguramente estaba pensando que quizá no volvería a verme, cosa que seguramente pensaba cada mañana cuando se iba a trabajar, cosa que seguramente era una mierda.

Mi madre y yo fuimos a casa de Augustus, y al llegar, quiso que me quedara en el coche descansando, pero aun así fui con ella hasta la puerta. Cuando nos acercamos a la casa oí a alguien llorando dentro. Al principio no pensé que fuera Augustus, porque el llanto no tenía nada que ver con su tono grave, pero luego oí una voz que sin la menor duda era una versión deformada de su manera de hablar: «PORQUE ES MI VIDA, MAMÁ, Y ME PERTENECE». Enseguida mi madre me pasó el brazo por encima de los hombros y giró hacia el coche a toda prisa.

—Mamá, ¿qué pasa? —le pregunté.

—No podemos escuchar a hurtadillas, Hazel —me respondió.

Nos metimos en el coche y mandé un mensaje a Augustus diciéndole que estábamos fuera y que saliera cuando estuviera listo.

Observamos la casa un rato. Lo curioso de las casas es que casi siempre parece que dentro no está pasando nada, aunque encierran la mayor parte de nuestra vida. Me preguntaba si ese era el quid de la arquitectura.

—Bueno —me dijo mi madre al rato—, creo que vamos con tiempo.

—Casi como si no hubiera tenido que levantarme a las cinco y media —le dije.

Mi madre cogió su taza de café de la guantera situada entre los dos asientos y dio un sorbo. Mi teléfono zumbó. Un mensaje de Augustus.

No sé qué ponerme. ¿Prefieres un saco o una camisa?

Le contesté:

Camisa.

Treinta segundos después se abrió la puerta de la casa y apareció Augustus, sonriente y arrastrando una maleta con ruedas. Llevaba una camisa estrecha de color azul cielo metida por dentro de los bluyines. Un Camel Light colgaba de sus labios. Mi madre salió para saludarlo. Se retiró un momento el cigarrillo de la boca y habló con el tono seguro al que yo estaba acostumbrada.

—Es siempre un placer verla, señora.

Los observé por el retrovisor hasta que mi madre abrió el maletero. Enseguida Augustus abrió la puerta detrás de mí y emprendió la complicada tarea de sentarse en el asiento trasero de un coche con una sola pierna.

—¿Quieres sentarte delante? —le pregunté.

—Para nada —me contestó—. Y hola, Hazel Grace.

—Hola —le dije—. ¿Todo bien?

—Bien —me respondió.

—Bien —dije a mi vez.

Mi madre entró y cerró la puerta del coche.

—Próxima parada, Amsterdam —comentó.

Pero no fue así, claro. La siguiente parada fue el parking del aeropuerto, desde donde un autobús nos llevó a la terminal, y luego un coche eléctrico descapotable nos condujo a la fila del control. El tipo de seguridad gritaba que mejor que en nuestros equipajes no hubiera explosivos, ni armas de fuego, ni más de cien mililitros de líquido.

—Observación —le dije a Augustus—: hacer cola es una forma de opresión.

—Lo es en serio —me contestó.

En lugar de que me registraran, preferí pasar por el detector de metales sin el carrito, sin la bombona de oxígeno e incluso sin los tubos de plástico de la nariz. Dirigirme a la máquina de rayos X fueron mis primeros pasos sin oxígeno en varios meses, y me pareció increíble andar tan ligera, cruzar el Rubicón mientras el silencio de la máquina reconocía que, aunque fuera por un momento, era una criatura sin metal.

Sentí un dominio de mi cuerpo que no puedo explicar del todo. Solo puedo decir que cuando era niña solía llevar a todas partes una mochila con mis libros, que pesaban mucho, y si andaba mucho rato con la mochila a la espalda, cuando me la quitaba parecía que estuviera flotando.

Unos diez segundos después sentía que mis pulmones se doblaban sobre sí mismos como flores al anochecer. Me senté en un banco gris justo al otro lado de la máquina e intenté recuperar la respiración, empecé a toser y me sentí fatal hasta que volví a ponerme los tubos.

Aun así, me dolía. El dolor siempre estaba ahí, obligándome a centrarme en mí misma y a sentirlo. Siempre parecía que estaba despertando del dolor cuando algo del mundo exterior exigía de pronto que hiciera algún comentario o que le prestara atención. Mi madre me observaba preocupada. Acababa de decir algo. ¿Qué acababa de decir? Entonces lo recordé. Me había preguntado qué pasaba.

—Nada —le contesté.

—¡Amsterdam! —casi gritó.

Sonreí.

—Amsterdam —le respondí.

Alargó la mano hasta mí y me levantó.

Llegamos a la puerta de embarque una hora antes de lo que debíamos.

—Señora Lancaster, es usted de una puntualidad impresionante —dijo Augustus sentándose a mi lado en la zona de embarque, que estaba casi vacía.

—Bueno, el hecho de que no tenga mucho que hacer ayuda —le contestó mi madre.

—Tienes mucho que hacer —dije yo.

Aunque pensé que lo que mi madre hacía era sobre todo ocuparse de mí. Tenía también la ocupación de estar casada con mi padre, que era un negado para llevar las cuentas, contratar a un fontanero, cocinar y hacer cualquier cosa que no fuera trabajar para la empresa Morris Property, pero yo le daba más trabajo. Su primera razón para vivir y mi primera razón para vivir estaban íntimamente unidas.

Cuando los asientos de alrededor de la puerta de embarque empezaron a llenarse, Augustus dijo:

—Voy a por una hamburguesa antes de que embarquemos. ¿Quieres algo?

—No —le contesté—, pero me encanta que te niegues a aceptar las convenciones sociales sobre el desayuno.

Ladeó la cabeza hacia mí, confundido.

—Hazel tiene problemas con eso de que se margine a los huevos revueltos —dijo mi madre.

—Me fastidia que vayamos por la vida ciegos y aceptemos que los huevos revueltos son básicamente para las mañanas.

—Quiero que lo comentemos un poco más —dijo Augustus—, pero me muero de hambre. Enseguida vuelvo.

Como a los veinte minutos Augustus no había aparecido, pregunté a mi madre si creía que le había pasado algo. Levantó los ojos de su espantosa revista un segundo, lo justo para decir:

—Seguramente habrá ido al cuarto de baño.

Una empleada del aeropuerto se acercó a mí y me cambió la bombona de oxígeno por otra que nos facilitó la compañía aérea. Me incomodó que aquella mujer se arrodillara frente a mí y que todo el mundo me mirara, así que mientras lo hacía escribí un mensaje a Augustus.

No me contestó. Mi madre no parecía preocupada, pero yo imaginaba todo tipo de desgracias que nos fastidiaban el viaje a Amsterdam (que lo habían detenido, que se había hecho daño, que se había deprimido...), y a medida que pasaban los minutos sentía que algo que nada tenía que ver con el cáncer no iba bien en mi pecho.

Justo cuando la mujer de detrás del mostrador anunció que iban a empezar a embarcar a las personas que necesitaban un poco más de tiempo y todo el mundo se giró directamente hacia mí, vi a Augustus cojeando a toda prisa hacia nosotras con una bolsa de McDonald's en una mano y la mochila colgándole del hombro.

—¿Dónde estabas? —le pregunté.

—Había mucha cola. Lo siento —me contestó tendiéndome una mano.

La cogí y nos dirigimos juntos a la puerta de embarque.

Sentía que todo el mundo nos miraba y se preguntaba qué nos pasaba, si íbamos a morirnos, pensaba en lo heroica que debía de ser mi madre, y esas cosas. A veces era lo peor de tener cáncer: el hecho de que sea físicamente evidente que estás enfermo te aleja de los demás. Éramos definitivamente diferentes, y nunca fue más obvio que cuando los tres nos dirigíamos al avión vacío, y la azafata cabeceaba con lástima y nos hacía gestos desde la distancia para indicarnos nuestra fila de asientos. Me senté en el medio, con Augustus en el asiento de la ventana y mi madre en el del pasillo. Me sentía un poco asediada por mi madre, así que me acerqué a Augustus. Estábamos justo detrás del ala del avión. Él abrió la bolsa y desenvolvió su hamburguesa.

—El problema con los huevos —comentó Augustus— es que convertir el huevo revuelto en desayuno le otorga cierto carácter sagrado, ¿no? Puedes comer beicon o queso en cualquier comida y a cualquier hora, desde tacos hasta bocadillos para el desayuno, pero los huevos revueltos... son importantes.

—Es absurdo —le contesté.

Los pasajeros empezaban a entrar en el avión. No quería mirarlos, así que miré a otra parte, y mirar a otra parte significaba mirar a Augustus.

—Lo que quiero decir es que quizá los huevos revueltos están marginados, pero también son especiales. Tienen un lugar y un momento, como la iglesia.

—Estás totalmente equivocado —le repliqué—. Estás tragándote las frases bordadas en los cojines de tus padres. Argumentas que las cosas frágiles y raras son bonitas simplemente porque son frágiles y raras, pero todo eso es mentira, y lo sabes.

—No es fácil consolarte —me dijo Augustus.

—El consuelo fácil no consuela —le contesté—. Una vez fuiste una flor rara y frágil, lo recuerdas.

Se quedó un momento en silencio.

—Sabes cómo hacerme callar, Hazel Grace.

—Es mi privilegio y mi responsabilidad —le respondí.

Antes de que apartara la vista de él, me dijo:

—Oye, perdona que evitara la zona de embarque. En realidad no había tanta cola en el McDonald's. Es que... no quería estar ahí sentado con toda esa gente mirándonos.

—Sobre todo a mí —contesté.

Podías mirar a Gus y no darte cuenta de que había estado enfermo, pero yo cargaba con mi enfermedad, y fue una de las principales razones por las que decidí no salir de casa.

—Al carismático Augustus Waters le incomoda sentarse al lado de una chica con un tanque de oxígeno.

—No me incomoda —respondió—. Algunas veces me cabrean. Y hoy no quiero cabrearme.

Se metió la mano en el bolsillo y sacó el paquete de cigarrillos.

Todavía no habían pasado diez segundos cuando una azafata rubia llegó corriendo hasta nuestros asientos.

—Señor, no puede fumar en este avión. En ningún avión —le dijo.

—No estoy fumando —le contestó con el cigarrillo bailando en sus labios.

—Pero...

—Es una metáfora —le expliqué—. Se coloca el arma asesina en la boca, pero no le concede el poder de matarlo.

La azafata se quedó un segundo desconcertada.

—Bueno, esa metáfora está prohibida en este vuelo —contestó.

Gus asintió y metió el cigarrillo en el paquete.

Avanzamos por fin hacia la pista y el piloto dijo: «Tripulación, preparados para despegar». Dos inmensos motores rugieron y empezamos a acelerar.

—Es como ir en coche contigo —le dije.

Sonrió, pero mantuvo la mandíbula apretada. Le pregunté si estaba bien.

Estábamos ya cogiendo velocidad cuando Gus se agarró a los apoyabrazos con los ojos en blanco. Apoyé mi mano sobre la suya y volví a preguntarle si estaba bien. No me contestó. Me miró fijamente con los ojos como platos.

—¿Te da miedo volar? —le pregunté.

—Te lo diré dentro de un minuto —me contestó.

El morro del avión se elevó y estuvimos en el aire. Gus observaba por la ventana cómo el planeta se hacía cada vez más pequeño. De repente sentí que su mano se relajaba debajo de la mía. Me miró y volvió a girar los ojos hacia la ventana.

—Estamos volando —me dijo.

—¿Es la primera vez que coges un avión?

Asintió.

—¡MIRA! —casi gritó señalando la ventana.

—Sí, sí, lo veo —le dije—. Es como si estuviéramos en un avión.

—NO SE HA VISTO NADA IGUAL EN TODA LA HISTORIA DE LA HUMANIDAD —exclamó.

Me encantó su entusiasmo. No pude evitar inclinarme hacia él y besarlo en la mejilla.

—Por si no lo recuerdas, estoy aquí —dijo mi madre—. Sentada a tu lado. Tu madre, la que te llevaba de la mano cuando empezabas a andar.

—Ha sido un beso de amiga —le contesté.

Y me giré para besarla también a ella en la mejilla.

—Pues no me ha parecido muy de amiga —murmuró Gus lo bastante alto para que lo oyera.

Cuando del Augustus de los grandes gestos metafóricos emergía el Gus sorprendido, entusiasmado e inocente, realmente no podía resistirme.

Fue un vuelo rápido hasta Detroit, donde el pequeño coche eléctrico vino a buscarnos cuando desembarcamos y nos llevó a la puerta de embarque hacia Amsterdam. Aquel avión tenía una tele en el respaldo de cada asiento, así que, en cuanto estuvimos por encima de las nubes, Augustus y yo nos sincronizamos para ver la misma comedia romántica al mismo tiempo en nuestras respectivas pantallas. Pero aunque nos sincronizamos perfectamente para apretar el «Play», su película empezó unos segundos antes que la mía, de modo que cada vez que había una escena divertida, él se reía justo cuando yo empezaba a escuchar la broma.

Mi madre tuvo la brillante idea de que durmiéramos las últimas horas del vuelo, para que después de aterrizar, a las ocho de la mañana, llegáramos a la ciudad listos para sacarle todo el jugo. Por eso, al acabar la película, mi madre, Augustus y yo cogimos unas almohadas. Mi madre se quedó frita en segundos, pero Augustus y yo pasamos un rato mirando por la ventana. Era un día claro, y aunque no podíamos ver la puesta de sol, sí veíamos los matices del cielo.

—¡Qué bonito! —dije sobre todo para mí misma.

—«El amanecer brilla en sus ojos, que se pierden» —dijo Augustus citando una frase de *Un dolor imperial.*

—Pero no está amaneciendo —le dije.

—Está amaneciendo en alguna parte —me contestó. Y al momento añadió—: Una observación: sería genial volar en un avión superrápido que por un tiempo pudiera seguir el amanecer alrededor del mundo.

—Además viviría más tiempo —dije yo.

Augustus me miró de reojo.

—Ya sabes, por la relatividad.

Siguió sin entenderme.

—Envejecemos más despacio cuando nos movemos deprisa frente a lo que está en reposo. Así que ahora mismo el tiempo pasa más despacio para nosotros que para los que están en la Tierra.

—Es lo que tienen las universitarias… —dijo—. Son tan inteligentes…

Puse los ojos en blanco. Me golpeó la rodilla con la suya (la real), y yo le devolví el golpe.

—¿Tienes sueño? —le pregunté.

—Nada de nada —me contestó.

—Yo tampoco —le dije.

Las pastillas para dormir y los narcóticos no funcionaban conmigo como con las demás personas.

—¿Quieres que veamos otra peli? —me preguntó—. Hay una de Portman, de la época Hazel.

—Quiero ver alguna que no hayas visto.

Al final vimos *300*, una película de guerra sobre trescientos espartanos que defienden Esparta de un ejército invasor de miles y miles de persas. La película de Augustus volvió a empezar antes que la mía, y tras unos minutos escuchándole exclamar «¡No!» o «¡Qué horror!» cada vez que mataban a alguien de malas maneras, me incliné sobre el apoyabrazos y posé la cabeza en su hombro para ver la película en su pantalla.

La película mostraba una importante colección de robustos sementales a pecho descubierto y aceitosos, así que no era un problema para la vista, aunque básicamente lo único que se veía eran espadas entrechocando sin ton ni son. Los cadáveres de los persas y de los espartanos se acumulaban, y no entendía por qué los persas eran tan malos y los espartanos tan maravillosos. Como decía *Un dolor imperial*, «la contemporaneidad se especializa en batallas en las que nadie pierde nada de valor, excepto seguramente su vida». Y es lo que sucedía en aquella lucha de titanes.

Hacia el final de la película casi todo el mundo ha muerto y llega un momento de locura en el que los espartanos empiezan a amontonar los cadáveres para levantar un muro. Los muertos se convierten en una enorme barrera que se interpone entre los persas y Esparta. Tanta sangre me parecía un poco gratuita, de modo que aparté un segundo la mirada.

—¿Cuánta gente crees que ha muerto? —pregunté a Augustus.

Me hizo callar con un gesto.

—Chist. Chist. Está en lo mejor.

Cuando los persas atacaban, tenían que subir por la montaña de cadáveres. Los espartanos seguían cayendo en la cima, unos encima de otros, y a medida que iban amontonándose, el muro de mártires era cada vez más alto, y por lo tanto resultaba más difícil subir por él, y todos blandían espadas y disparaban flechas, y por la montaña de cadáveres fluían ríos de sangre, etcétera.

Levanté la cabeza del hombro de Augustus para descansar un momento de tanta sangre y lo observé viendo la película. No podía reprimir su sonrisa de oreja a oreja. Miré mi pantalla con los ojos entrecerrados: la montaña seguía aumentando con los cadáveres de los persas y de los espartanos. Cuando por fin los persas lograron traspasar la montaña de cadáveres, volví a mirar a Augustus. Aunque los buenos habían perdido, él parecía contentísimo. Volví a pegarme a él, pero mantuve los ojos cerrados hasta que la batalla hubo terminado.

Empezaron a desfilar los créditos y Augustus se quitó los auriculares.

—Perdona, estaba totalmente metido en el noble sacrificio. ¿Qué me decías? —me preguntó.

—¿Cuánta gente crees que ha muerto?

—¿Preguntas cuánta gente ficticia muere en esta película de ficción? No la suficiente —bromeó.

—No. Quiero decir desde siempre. ¿Cuánta gente crees que ha muerto en total?

—Pues resulta que puedo responderte —me dijo—. Hay siete mil millones de personas vivas, y alrededor de noventa y ocho mil millones muertas.

—Vaya —dije.

Pensaba que, como la población había aumentado tan rápido, habría más vivos que muertos en total.

—Hay unos catorce muertos por cada vivo —me dijo.

Los créditos seguían desfilando. Estaba claro que se necesitaba mucho tiempo para nombrar a todos aquellos muertos. Seguía con la cabeza apoyada en el hombro de Augustus.

—Investigué un poco este tema hace un par de años —me comentó—. Me preguntaba si era posible recordar a todo el mundo. Si nos organizáramos y asignáramos determinada cantidad de cadáveres a cada persona viva, ¿habría suficientes personas vivas para recordar a todos los muertos?

—¿Las habría?

—Claro. Todo el mundo puede recordar a catorce muertos. Pero somos plañideras desorganizadas, así que muchos acaban recordando a Shakespeare, pero nadie recuerda a la persona sobre la que escribió el soneto 55.

—Sí —le dije.

Me quedé un minuto en silencio.

—¿Quieres leer? —me preguntó por fin.

Le dije que sí. Me puse a leer el largo poema titulado «Aullido», de Allen Ginsberg, para mi clase de poesía, y Gus releía *Un dolor imperial.*

—¿Está bien? —me preguntó al rato.

—¿El poema? —le pregunté.

—Sí.

—Sí, está muy bien. Los tipos de este poema se meten más drogas que yo medicamentos. ¿Qué tal *Un dolor imperial*?

—Todavía perfecto —me contestó—. Lee en voz alta.

—La verdad es que no es un poema para leer en voz alta cuando estás sentada al lado de tu madre dormida. Habla de sodomía y de polvo de ángel.

—Dos de mis pasatiempos favoritos —me dijo—. Bueno, pues lee otra cosa.

—Es que... no tengo nada más —le contesté.

—Lástima. Me apetecía algo de poesía. ¿No te sabes ningún poema de memoria?

—«Vamos entonces, tú y yo» —empecé nerviosa— «cuando el atardecer se extiende contra el cielo / como un paciente anestesiado sobre una mesa.»

—Más despacio —me dijo.

Me daba vergüenza, como la primera vez que le hablé de *Un dolor imperial*.

—Vale, vale. «Vamos, por ciertas calles medio abandonadas, / los mascullantes retiros / de noches inquietas en baratos hoteles de una noche / y restaurantes con serrín y conchas de ostras: / calles que siguen como una aburrida discusión / con intención insidiosa / de llevarnos a una pregunta abrumadora… / Ah, no preguntes "¿Qué es eso?". / Vamos a hacer nuestra visita.»

—Estoy enamorado de ti —me dijo en voz baja.

—Augustus —dije yo.

—Lo estoy.

Me miraba fijamente, y yo veía cómo se le arrugaban las comisuras de los ojos.

—Estoy enamorado de ti, y no me apetece privarme del sencillo placer de decir la verdad. Estoy enamorado de ti y sé que el amor es solo un grito en el vacío, que es inevitable el olvido, que estamos todos condenados y que llegará el día en que todos nuestros esfuerzos volverán al polvo. Y sé que el sol engullirá la única tierra que vamos a tener, y estoy enamorado de ti.

—Augustus —repetí.

No sabía qué decir. Sentía como si todo en mí se elevara, como si me ahogara en una alegría extrañamente dolorosa, pero no pude decirle que también yo estaba enamorada de él. No pude responderle nada. Simplemente lo miré y dejé que me mirara hasta que sacudió la cabeza, con los labios fruncidos, se giró y se apoyó contra la ventana.

Capítulo 11

Creo que Augustus debió de quedarse dormido. Al final también yo me dormí, y me desperté con el ruido del motor aterrizando. Tenía muy mal sabor de boca, así que intenté no abrirla por miedo a envenenar a todo el avión.

Miré a Augustus, que estaba con los ojos fijos en la ventana, y mientras descendíamos por debajo de las nubes, estiré la espalda para ver Holanda. La tierra parecía hundida en el mar, con pequeños rectángulos verdes rodeados por todas partes de canales. De hecho aterrizamos en paralelo a un canal, como si hubiera dos pistas, una para nosotros y la otra para las aves acuáticas.

Recogimos las maletas, pasamos por la aduana y nos metimos en un taxi. El taxista era un tipo calvo que hablaba un inglés perfecto, mejor que yo.

—Al hotel Filosoof —le dije.

—¿Sois estadounidenses? —nos preguntó.

—Sí —le contestó mi madre—. De Indiana.

—Indiana —dijo el taxista—. Les roban las tierras a los indios, pero dejan el nombre, ¿verdad?

—Algo así —dijo mi madre.

El taxista se metió entre el tráfico y nos dirigimos a una autopista con muchos letreros azules en los que aparecían vocales dobles: Oosthuizen, Haarlem. Junto a la autopista, kilómetros de tierra plana interrumpida ocasionalmente por oficinas de grandes empresas. En definitiva, Holanda se parecía a Indianápolis, solo que los coches eran más pequeños.

—¿Esto es Amsterdam? —pregunté al taxista.

—Sí y no —me contestó—. Amsterdam es como los anillos de un árbol: se hace más vieja a medida que te acercas al centro.

Fue cosa de un instante: salimos de la autopista y ahí estaban las hileras de casas que había imaginado precariamente inclinadas sobre los canales, las bicicletas por todas partes y los coffee shops con rótulos que decían LARGE SMOKING ROOM. Cruzamos un canal, y desde el puente vi decenas de casas flotantes amarradas en el agua. No tenía nada que ver con Estados Unidos. Parecía un viejo cuadro, pero real —todo dolorosamente idílico a la luz de la mañana—, y pensé que sería muy extraño vivir en un lugar en el que casi todo lo habían construido personas ya muertas.

—¿Son muy viejas estas casas? —preguntó mi madre.

—Muchas casas de los canales son de la Edad de Oro, del siglo XVII —le contestó el taxista—. Nuestra ciudad tiene una rica historia, aunque a muchos turistas solo les interesa ver el barrio rojo. —Se calló un momento—. Algunos turistas creen que Amsterdam es la ciudad del pecado, pero en realidad es la ciudad de la libertad. Y en la libertad casi todos encuentran el pecado.

En el hotel Filosoof todas las habitaciones tenían el nombre de un filósofo. Mi madre y yo nos instalamos en la Kierkegaard, en la planta baja, y Augustus en la Heidegger, en el piso de arriba. Nuestra habitación era pequeña: una cama doble pegada a la pared con mi BiPAP, un concentrador de oxígeno y una decena de bombonas recargables a los pies de la cama. Más allá del equipamiento médico había una vieja y polvorienta butaca con el asiento hundido, una mesa y un estante encima de la cama con libros de Søren Kierkegaard. En la mesa encontramos una cesta de mimbre llena de regalos de los genios: unos zuecos, una camiseta naranja de Holanda, chocolate y algunas otras delicias.

El Filosoof estaba justo al lado del Vondelpark, el parque más famoso de Amsterdam. Mi madre quería ir a dar un paseo, pero yo estaba supercansada, así que encendió el BiPAP y me colocó la mascarilla. Aunque odiaba hablar con aquel cacharro en la boca, le dije:

—Vete al parque y ya te llamaré cuando me despierte.

—De acuerdo —me contestó—. Que duermas bien, cariño.

Pero cuando me desperté, unas horas después, mi madre estaba sentada en la vieja butaca del rincón, leyendo una guía.

—Buenos días —le dije.

—Más bien buenas tardes —me contestó levantándose con un suspiro.

Se acercó a la cama, metió un tanque en el carrito y la

conectó mientras yo apagaba el BiPAP y me colocaba los tubos en la nariz. La reguló para que expulsara dos litros y medio por minuto —tendría que cambiarla seis horas después— y me levanté.

—¿Cómo te encuentras? —me preguntó.

—Bien —le dije—. Muy bien. ¿Qué tal el Vondelpark?

—No he ido —me contestó—, pero he leído todo lo que dice de él la guía.

—Mamá, no tenías que quedarte.

—Ya lo sé —me dijo encogiéndose de hombros—, pero he querido quedarme. Me gusta verte dormir.

—Dijo el *voyeur*.

Aunque se rió, seguí sintiéndome mal.

—Solo quiero que te diviertas, ¿sabes? —le dije.

—Vale. Me divertiré esta noche, ¿de acuerdo? Iré a hacer locuras de madre mientras Augustus y tú van a cenar.

—¿Sin ti? —le pregunté.

—Sí, sin mí. Tienen mesa reservada en un restaurante que se llama Oranjee —me explicó—. Lo ha organizado la asistente del señor Van Houten. Está en el barrio de Jordaan. Muy lujoso, por lo que dice la guía. En la esquina hay una estación de tranvía. Augustus sabe cómo ir. Podrán comer al aire libre y ver pasar los barcos. Será muy bonito. Muy romántico.

—Mamá.

—Es un simple comentario —me dijo—. Tendrás que arreglarte. ¿El vestido sin mangas, quizá?

La situación era de locura: una madre deja suelta a su hija de dieciséis años con un chico de diecisiete en una ciudad extranjera famosa por su permisividad. Pero también esto era un efecto colateral de morirse. No podía correr, ni bailar, ni comer alimentos ricos en nitrógeno, pero en la ciudad de la libertad estaba entre las chicas más liberadas.

Me puse el vestido sin mangas —estampado azul y por encima de la rodilla, de Forever 21— con leotardos y manoletinas, porque me gustaba ser mucho más baja que Augustus. Fui al diminuto cuarto de baño y luché contra mi pelo hasta que conseguí parecerme a la Natalie Portman de mediados de 2000. A las seis en punto de la tarde (las doce del mediodía en mi ciudad) llamaron a la puerta.

—¿Sí? —pregunté antes de abrir.

En el hotel Filosoof no había mirillas.

—Soy yo —me contestó Augustus.

Pude oír el cigarrillo en su boca. Me eché un último vistazo. El vestido sin mangas dejaba al descubierto más cuerpo del que Augustus había visto. No es que fuera obsceno, pero era la mayor cantidad de piel que había mostrado nunca. (Mi madre tenía un lema a este respecto con el que yo estaba de acuerdo: «Las Lancaster no enseñamos la barriga».)

Abrí la puerta. Augustus llevaba un traje negro de solapas estrechas, perfectamente a la medida, con una camisa azul claro y una corbata fina de color negro. De un extremo de su boca seria colgaba un cigarrillo.

—Hazel Grace, estás preciosa —me dijo.

—Yo… —balbuceé.

Pensaba que el resto de la frase surgiría del aire que atravesaba mis cuerdas vocales, pero no fue así.

—Me siento casi desnuda —dije por fin.

—No seas antigua —me dijo sonriéndome desde su altura.

—Augustus —dijo mi madre detrás de mí—, estás guapísimo.

—Gracias, señora —le respondió.

Me ofreció su brazo y lo cogí mirando a mi madre.

—Nos vemos hacia las once —me dijo.

Mientras esperábamos el tranvía número 1 en una calle ancha llena de tráfico, dije a Augustus:

—Supongo que es el traje que llevas en los funerales.

—La verdad es que no —me contestó—. El de los funerales no es tan bonito.

Llegó el tranvía azul y blanco, y Augustus le tendió los billetes al conductor, que nos explicó que teníamos que pasarlos por el sensor circular. Mientras avanzábamos por el tranvía lleno de gente, un hombre mayor se levantó para que pudiéramos sentarnos juntos. Intenté decirle que se sentara, pero gesticuló varias veces señalando el asiento. Pasamos tres paradas, yo inclinada sobre Gus, así que podíamos mirar juntos por la ventana.

—¿Has visto eso? —me preguntó Augustus señalando los árboles.

Lo había visto. Los canales estaban flanqueados por olmos, de los que se desprendían semillas. Pero no parecían semillas. Parecían diminutos pétalos de rosa que hubieran perdido el color. El viento agrupaba aquellos pétalos pálidos como si fueran bandadas de pájaros, miles de ellos, como una nevasca primaveral.

El anciano que nos había cedido el asiento se dio cuenta de lo que estábamos observando y dijo en inglés:

—En Amsterdam ya es primavera. Los *iepen* lanzan confeti para dar la bienvenida a la primavera.

Cambiamos de tranvía, y después de otras cuatro paradas llegamos a una calle dividida por un bonito canal. Los reflejos del viejo puente y las casas pintorescas se mecían en el agua.

El Oranjee estaba a dos pasos de la parada del tranvía. El restaurante estaba a un lado de la calle, y el comedor al aire libre al otro, en un saliente de hormigón al borde del canal. Los ojos de la camarera brillaron mientras Augustus y yo nos acercábamos a ella.

—¿El señor y la señora Waters?

—Supongo —contesté.

—Su mesa —dijo señalando una mesa de un rincón del canal—. El champán es invitación de la casa.

Gus y yo nos miramos sonriendo. Cruzamos la calle, y Augustus retiró mi silla y me ayudó a sentarme. En la mesa, cubierta con un mantel blanco, había dos copas de champán. Hacía un poco de fresco, pero quedaba compensado por el sol. Por un lado de nuestra mesa pasaban ciclistas pedaleando, hombres y mujeres bien vestidos volviendo a casa del trabajo, rubias increíblemente atractivas sentadas de lado detrás de un amigo, niños pequeños con casco dando botes en asientos de plástico detrás de sus padres. Y en el otro lado, el agua del canal estaba cubierta de millones de semillas confeti. En las orillas de ladrillo había pequeños barcos amarrados, medio llenos de agua de lluvia, algunos casi hundidos. Algo más allá veía casas flotantes en pontones, y un barco descubierto de fondo plano con tumbonas y un equipo de música portátil se acercaba lentamente a nosotros desde el centro del canal. Augustus cogió su copa de champán y la alzó. Yo cogí la mía, aunque nunca había bebido más que algún sorbo de la cerveza de mi padre.

—Bien —me dijo.

—Bien —le respondí.

Chocamos las copas y di un sorbo. Las diminutas burbujas se fundieron en mi boca y tomaron rumbo al norte, hacia el cerebro. Era dulce, crujiente y delicioso.

—Está buenísimo —dije—. Nunca había bebido champán.

Apareció un joven camarero robusto de pelo rubio ondulado. Era quizá más alto que Augustus.

—¿Saben lo que dijo Dom Pérignon después de inventar el champán? —nos preguntó con un bonito acento.

—No —le contesté.

—Gritó a sus compañeros monjes: «Vengan corriendo. Estoy degustando las estrellas». Bienvenidos a Amsterdam. ¿Quieren que les traiga la carta, o prefieren el menú del chef?

Miré a Augustus, que me devolvió la mirada.

—El menú del chef suena muy bien, pero Hazel es vegetariana.

Se lo había dicho a Augustus solo una vez, el día en que nos conocimos.

—No hay problema —dijo el camarero.

—Fantástico. ¿Y puede traernos más de esto? —le preguntó Augustus señalando el champán.

—Por supuesto —le contestó el camarero—. Esta noche hemos embotellado todas las estrellas, jovencitos. ¡Ay, el confeti! —exclamó apartando delicadamente una semilla de mi hombro desnudo—. Hacía años que no había tanto. Está por todas partes. Es muy molesto.

El camarero desapareció. Observamos el confeti descendiendo del cielo, saltando por el suelo empujado por la brisa y cayendo al canal.

—Cuesta creer que a alguien pueda parecerle molesto —comentó Augustus.

—La gente se acostumbra a la belleza.

—Pues yo todavía no me he acostumbrado a ti —me contestó sonriendo.

Sentí que me ruborizaba.

—Gracias por venir a Amsterdam —me dijo.

—Gracias por dejar que te robara el deseo —le dije yo.

—Gracias por llevar ese vestido. Es... ¡uau!

Sacudí la cabeza e intenté no sonreír. No quería ser una granada. Pero estaba claro que Augustus sabía lo que hacía, y quería hacerlo.

—Oye, ¿cómo acaba aquel poema? —me preguntó.

—¿Cuál?

—El que me recitaste en el avión.

—Ah, ¿Prufrock? Acaba así: «Nos hemos demorado en las cámaras del mar / junto a ondinas enguirnaldadas de algas, en rojo y pardo, / hasta que nos despierten voces humanas y nos ahoguemos».

Augustus sacó un cigarrillo y golpeó el filtro contra la mesa.

—Las estúpidas voces humanas siempre lo estropean todo.

El camarero llegó con otras dos copas de champán y algo que llamó «espárragos blancos belgas con infusión de lavanda».

—Yo tampoco había probado el champán —me dijo Augustus cuando el camarero se hubo marchado—. Por si no lo sabías. Y tampoco los espárragos blancos.

Yo estaba masticando el primer bocado.

—Increíble —le aseguré.

Augustus los probó también.

—Madre mía… Si los espárragos fueran siempre así, yo también sería vegetariano.

Por el canal se acercaba un grupo de gente en un barco de madera lacada. Una mujer rubia y con el pelo rizado, de unos treinta años, dio un trago de cerveza, alzó su vaso hacia nosotros y gritó algo.

—No hablamos holandés —le gritó Gus.

Otro del grupo tradujo las palabras de la mujer: «Las parejas bonitas son bonitas».

La comida estaba tan buena que con cada bocado nuestra conversación quedaba interrumpida por comentarios al respecto: «Quiero que este *risotto* de zanahoria se convierta en una persona para llevármelo a Las Vegas y casarme con él», «Sorbete de guisantes, eres inesperadamente soberbio». Me habría gustado tener más hambre.

Después de los *gnocchi* de ajos tiernos con hojas rojas de mostaza, el camarero nos dijo:

—Ahora el postre. ¿Quieren más estrellas?

Negué con la cabeza. Dos copas eran suficientes para mí. El champán no era una excepción a mi gran tolerancia a los depresores y los analgésicos. Estaba entonada, pero no había bebido tanto. No quería emborracharme. Una no tropezaba con noches como aquella a menudo, así que quería recordarla.

—Hummm —dije después de que se hubiera marchado el camarero.

Augustus sonreía recorriendo el canal con la mirada, y yo miraba a mi alrededor. Como había mucho que observar, el silencio no resultaba incómodo, pero yo quería que todo fuera perfecto. Era perfecto, supongo, pero era como si alguien hubiera escenificado la Amsterdam de mi imaginación, lo que hacía difícil olvidar que aquella cena, como el viaje en sí, era un premio de consolación por tener cáncer. Quería que charláramos y bromeáramos tranquilamente, como si estuviéramos en el sofá de mi casa, pero había cierta tensión subyacente.

—No es mi traje para los funerales —dijo al rato—. Cuando me enteré de que estaba enfermo… bueno, me dijeron que tenía un ochenta y cinco por ciento de posibilidades de curarme. Sé que es un porcentaje muy alto, pero aun así pensé que era jugar a la ruleta rusa. Tendría que pasar por el infierno seis meses o un año, perder una pierna y al final podría no funcionar, ¿sabes?

—Ya sé —le contesté.

Aunque en realidad no sabía. Yo siempre había estado en fase terminal. Mi tratamiento se limitaba a intentar alargarme la vida, no a curarme el cáncer. El Phalanxifor había introducido cierta ambigüedad en la historia de mi cáncer, pero mi caso era diferente del de Augustus. Mi último capítulo estaba diagnosticado. Gus, como la mayoría de los que han superado un cáncer, no sabía lo que iba a pasar.

—Bueno —me dijo—. Me metí en ese rollo de querer estar preparado. Compramos una parcela en Crown Hill, y un día me pasé por allí con mi padre y elegí un sitio. Planeé mi funeral y todo lo demás, y justo antes de la operación les pedí a mis padres que me dejaran comprarme un traje, un traje bonito, por si acaso moría. En fin, nunca había tenido ocasión de ponérmelo. Hasta esta noche.

—Entonces es tu traje para cuando te mueras.

—Exacto. ¿Tú no tienes un vestido para cuando te mueras?

—Sí —le contesté—. Un vestido que me compré para la fiesta de mi decimoquinto cumpleaños. Pero no me lo pongo para salir con un chico.

Le brillaron los ojos.

—¿Estás saliendo conmigo? —me preguntó.

Miré al suelo, avergonzada.

—Sin presionar.

Estábamos los dos llenísimos, pero el postre —un suculento *crémeux* rodeado de frutas de la pasión— era demasiado bueno para ni siquiera picotearlo, así que dejamos pasar un rato a la espera de volver a tener hambre. El sol era como un niño pequeño que se niega a irse a la cama. Eran las ocho y media pasadas y todavía había luz.

De pronto, sin venir a cuento, Augustus me preguntó:

—¿Crees que hay vida después de la muerte?

—Pienso que la vida eterna es una idea incorrecta —le respondí.

Sonrió.

—Tú sí que eres una idea incorrecta.

—Lo sé. Por eso me sacan de aquí.

—No tiene gracia —me dijo mirando la calle.

Pasaron dos chicas en bicicleta, una sentada de lado sobre la rueda de atrás.

—Venga —le dije—, era una broma.

—No me hace gracia pensar que te sacan de aquí —me dijo—. Pero, en serio, ¿hay vida después?

—No —le contesté. Pero enseguida me corregí—: Bueno, quizá no me atrevería a decir un no rotundo. ¿Y tú?

—Sí —me dijo muy seguro—. Sin la menor duda. No un cielo en el que cabalgas sobre unicornios, tocas el arpa y vives en una mansión de nubes. Pero sí. Creo en Algo, con A mayúscula. Siempre lo he creído.

—¿En serio? —le pregunté.

Me sorprendía. La verdad es que siempre había pensado que creer en el cielo era una especie de despreocupación intelectual. Pero Gus no era un idiota.

—Sí —dijo en voz baja—. Creo en esa frase de *Un dolor imperial* que dice: «El amanecer brilla en sus ojos, que se pierden». Creo que el sol del amanecer es Dios, la luz brilla y sus ojos se pierden, pero no están perdidos. No creo que volvamos a sufrir o a disfrutar de la vida, ni nada de eso, pero sí que vamos a parar a algún sitio.

—Pero te da miedo el olvido.

—Claro, me da miedo el olvido en la tierra. Mira, no quiero que suene como mis padres, pero creo que las personas tenemos alma, y creo que las almas no se pierden. El miedo al olvido es otra cosa. Es miedo a no poder dar nada a cambio de mi vida. Si no vives tu vida al servicio de un bien superior, al menos muere al servicio de un bien superior, ¿sabes? Y temo que ni mi vida ni mi muerte tengan sentido.

Me limité a mover la cabeza.

—¿Qué? —me preguntó.

—Tu obsesión por morir por algo o dejar detrás de ti alguna huella de tu heroísmo… es extraña.

—Todo el mundo quiere vivir una vida extraordinaria.

—No todo el mundo —le dije, incapaz de disimular mi fastidio.

—¿Estás loca?

—Sencillamente… —dije.

Pero no pude terminar la frase.

—Sencillamente… —repetí.

Una vela parpadeaba entre nosotros.

—Es una auténtica maldad por tu parte decir que las únicas vidas que importan son las que viven o mueren por algo. Es lo peor que podrías decirme.

Por alguna razón me sentía como una niña pequeña, y cogí un trozo de tarta para que pareciera que no me importaba tanto.

—Perdona —me dijo—. No pretendía decir eso. Estaba pensando en mí.

—Claro, en ti —le contesté.

Estaba demasiado llena para acabar. En realidad me preocupaba vomitar, porque solía vomitar después de comer. (No por bulimia, sino por el cáncer.) Empujé mi plato hacia Augustus, que negó con la cabeza.

—Perdona —volvió a decirme.

Me cogió de la mano por encima de la mesa. Le dejé que la cogiera.

—Podría ser peor, ya sabes.

—¿Peor? —le pregunté para chincharlo.

—Tengo un cartel en mi cuarto de baño que dice: «Báñate cada día en el consuelo de la palabra de Dios». Podría ser mucho peor, Hazel.

—Parece antihigiénico —le dije.

—Podría ser peor.

—Podrías ser peor, tienes razón.

Sonreí. Le gustaba de verdad. Quizá era una narcisista, pero cuando en aquel momento, en el Oranjee, me di cuenta, todavía me gustó más.

Nuestro camarero apareció para llevarse el postre.

—El señor Peter van Houten ha pagado su cena —nos dijo.

Augustus sonrió.

—Este Peter van Houten no es del todo mal tipo.

Paseamos por el canal mientras anochecía. A una manzana del Oranjee nos detuvimos en un banco de un parque rodeado de viejas bicicletas oxidadas atadas a armazones de hierro. Nos sentamos muy juntos frente al canal, y Augustus me rodeó con su brazo.

Del barrio rojo surgía un resplandor. A pesar de su nombre, la luz que desprendía era de un inquietante tono verde. Imaginé a miles de turistas emborrachándose, drogándose y dando tumbos por las calles estrechas.

—No me creo que vaya a contárnoslo mañana —le dije—. Peter van Houten va a contarnos el famoso final no escrito del mejor libro del mundo.

—Y además nos ha pagado la cena —me dijo Augustus.

—Supongo que esperará a que le contemos lo que pensamos, y después se sentará con nosotros en el sofá de su comedor y nos dirá en voz baja si la madre de Anna se casó con el Tulipán Holandés.

—No olvides a Sísifo, el hámster —añadió Augustus.

—Claro, y también qué deparaba el destino para Sísifo, el hámster.

Me incliné hacia delante para ver el canal, que estaba lleno de aquellos pálidos pétalos de olmo. Era ridículo.

—Una segunda parte solo para nosotros —agregué.

—¿Y qué supones que nos dirá? —me preguntó.

—De verdad que no lo sé. Le he dado mil vueltas. Cada vez que lo releía pensaba una cosa diferente, ¿sabes?

Augustus asintió.

—¿Tú tienes alguna teoría? —le pregunté.

—Sí. No creo que el Tulipán Holandés sea un farsante, pero tampoco es rico, como pretende hacer creer. Y creo que, después de que Anna muera, su madre se va a Holanda a vivir con él pensando que vivirán allí para siempre, pero no funciona, porque quiere estar cerca de donde estaba su hija.

No era consciente de que Augustus hubiera pensado tanto en el libro, de que *Un dolor imperial* le importase al margen del hecho de que me importara a mí.

El agua lamía en silencio las paredes de los canales de piedra. Un grupo de amigos pasó pedaleando y gritándose en su lengua gutural. Había pequeños barcos, no mucho más grandes que yo, medio hundidos en el canal. Me llegaba un olor a agua largo tiempo estancada. El brazo de Augustus me presionaba contra él, y su pierna real estaba pegada a la mía desde la cadera hasta la punta del pie. Me incliné un poco hacia su cuerpo e hizo una mueca de dolor.

—Perdona. ¿Estás bien?

Dejó escapar un sí con evidente dolor.

—Perdona —repetí—. Tengo los hombros huesudos.

—Tranquila —me dijo—. La verdad es que me gustan.

Nos quedamos allí sentados mucho rato. Al final retiró el brazo de mis hombros y se apoyó en el respaldo del banco. Pasamos casi todo el tiempo observando el canal. Yo pensaba en que habían conseguido crear aquel lugar aunque debería haber estado debajo del agua, y en que yo era para la doctora María una especie de Amsterdam, una anomalía medio sumergida, y eso me llevó a pensar en la muerte.

—¿Puedo preguntarte por Caroline Mathers?

—Luego dices que no hay vida después de la muerte —me contestó sin mirarme—. Pero sí, claro. ¿Qué quieres saber?

Quería saber que estaría bien si yo me moría. No quería ser una granada, una fuerza maléfica en la vida de las personas a las que quería.

—Nada, solo qué pasó.

Soltó un suspiro tan largo que para mis pulmones de mierda fue como si fanfarroneara. Se colocó un cigarrillo en la boca.

—Todo el mundo sabe que en ningún lugar se juega menos que en el patio de un hospital.

Asentí.

—Bueno, estuve en el Memorial un par de semanas cuando me cortaron la pierna. Estaba en la quinta planta, y desde allí veía el patio, que por supuesto estaba siempre totalmente desierto. No dejaba de pensar en las connotaciones metafóricas del patio vacío del hospital. Y entonces aquella chica empezó a aparecer sola por el patio, cada día, se columpiaba totalmente sola, como si fuera una película o algo así. Pedí detalles sobre la chica a mi enfermera más simpática, que la trajo a hacerme una visita. Era Caroline. Y recurrí a mi gran carisma para ganármela.

Hizo una pausa, así que decidí decir algo:

—No tienes tanto carisma.

Se burló, porque no se lo creía.

—Simplemente estás bueno —le expliqué.

Se rió.

—Lo que pasa con los muertos… —dijo, pero se detuvo—. Lo que pasa es que si no los idealizas, pareces un hijo de puta, pero la verdad es… complicada, supongo. Ya conoces el tópico del enfermo de cáncer estoico y decidido que lucha heroicamente contra su enfermedad con fuerza inhumana y nunca se lamenta ni deja de sonreír, ni siquiera en el último momento, etcétera, etcétera.

—Por supuesto —le contesté—. Son almas bondadosas y generosas que nos sirven de inspiración cada vez que respiran. ¡Son tan fuertes! ¡Los admiramos tanto!

—Exacto. Pero, mira, aparte de nosotros, obviamente, los niños con cáncer no tienen más posibilidades de ser maravillosos, compasivos, perseverantes o lo que sea. Caroline estaba siempre deprimida y de mal humor, pero me gustaba. Me gustaba pensar que yo era la única persona del mundo a la que había elegido para no odiarla, así que el tiempo que estuvimos juntos lo pasamos fastidiando a todo el mundo. Fastidiando a las enfermeras, a los demás chicos, a nuestras familias y a quien fuera. Pero no sé si era cosa suya o del tumor. Bueno, una enfermera me dijo una vez que al tipo de tumor que tenía Caroline lo llamaban en el ambiente médico el «tumor cabrón», porque te convierte en un monstruo. Y a la chica a la que le falta una quinta parte del cerebro se le reproduce el tumor cabrón, así que, ya sabes, no era el mejor modelo de estoico heroísmo de niño con cáncer. Era… Bueno, para ser sincero, era una bruja. Pero no puedes decirlo, porque tenía ese tumor, y además está... en fin, está muerta. Y tenía muchas razones para ser desagradable, ¿sabes?

Lo sabía.

—¿Recuerdas la parte de *Un dolor imperial* en la que Anna cruza el campo de fútbol para ir a hacer gimnasia, se cae de cara en la hierba, y es en ese momento cuando sabe que se le ha reproducido el cáncer en el sistema nervioso, y no puede levantarse, y tiene la cara a dos centímetros de la hierba del campo de fútbol, y se queda clavada ahí, mirando de cerca la hierba, observando cómo le da la luz...? No recuerdo la frase, pero es algo así como que Anna tiene la revelación whitmaniana de que lo que define al hombre es su capacidad de maravillarse ante la majestuosidad de la creación. ¿Recuerdas esa parte?

—La recuerdo —le dije.

—Después, mientras la quimio me destrozaba, por alguna razón decidí tener esperanza. No exactamente de que iba a sobrevivir, sino que me sentí como Anna en el libro, ese sentimiento de entusiasmo y gratitud por el mero hecho de poder maravillarme ante las cosas.

»Pero entretanto Caroline estaba cada día peor. Después de un tiempo volvió a su casa, y en algunos momentos pensaba que podríamos mantener una relación normal, pero la verdad es que no podíamos, porque no era capaz de filtrar lo que pensaba antes de decirlo, y lo que pensaba era triste, desagradable y a menudo doloroso. Pero, bueno, no puedes dejar a una chica con un tumor cerebral. Y sus padres me tenían cariño, y su hermano pequeño es un niño muy carismático... En fin ¿cómo vas a dejarla? Está muriéndose.

»Se hizo eterno. Casi un año. Un año saliendo con una chica que empezaba a reírse por las buenas y que señalaba mi pierna ortopédica y me llamaba Pata de Palo.

—No.

—Sí. Bueno, era el tumor. Se le comía el cerebro, ¿sabes? O no era el tumor. No puedo saberlo, porque ella y el tumor eran inseparables. Pero, a medida que fue poniéndose más enferma, repetía las mismas historias y se reía de sus propios comentarios aunque aquel día hubiera dicho lo mismo cien veces. Hacía la misma broma una y otra vez durante semanas. «Gus tiene unas piernas fantásticas. Bueno, una pierna.» Y luego se reía como una loca.

—Oh, Gus —le dije—. Es…

No sabía qué añadir. Augustus no me miraba, así que mirarlo me parecía invasivo. Se movió hacia delante. Se retiró el cigarrillo de la boca, lo observó girándolo con el índice y el pulgar, y volvió a colocárselo en la boca.

—Bueno —dijo—, la verdad es que tengo una pierna fantástica.

—Lo siento —le dije—. Lo siento de veras.

—No pasa nada, Hazel Grace. Pero que te quede claro que cuando creí ver el fantasma de Caroline Mathers en el grupo de apoyo, no me alegré tanto. Te miraba, pero no sentía añoranza, no sé si me entiendes.

Se sacó el paquete del bolsillo y metió el cigarrillo.

—Lo siento —repetí.

—Yo también —respondió él.

—No quiero hacerte algo así nunca —le dije.

—Bueno, no me importaría, Hazel Grace. Sería un privilegio que me rompieras el corazón.

Capítulo 12

Me desperté a las cuatro de la madrugada en Holanda, cuando todavía no había amanecido. Mis intentos de volver a dormirme fracasaron, así que me quedé tumbada, con el BiPAP bombeando el aire hacia dentro y hacia fuera, disfrutando de los sonidos del dragón, aunque deseando poder decidir cuándo respirar.

Releí *Un dolor imperial* hasta las seis, cuando mi madre se despertó y rodó hacia mí. Se frotó la cabeza contra mi hombro, lo que me pareció incómodo y ligeramente augustiniano.

El hotel nos trajo a la habitación el desayuno, que, para mi gran alegría, se componía de fiambres, entre muchas otras negativas del esquema de desayuno estadounidense. Para ir a cenar al Oranjee me había puesto el vestido que había planeado ponerme para ir a ver a Peter van Houten, así que, después de ducharme y alisarme un poco el pelo, pasé casi media hora debatiendo con mi madre las ventajas y los inconvenientes de la ropa que tenía, hasta que decidí vestirme lo más parecida posible a Anna en *Un dolor imperial*: las Converse, bluyines oscuros, como ella siempre llevaba, y una camiseta azul claro.

La camiseta llevaba impresa la famosa obra surrealista de René Magritte en la que dibujó una pipa, y debajo escribió en letra cursiva: *Ceci n'est pas une pipe* («Esto no es una pipa»).

—No entiendo esta camiseta —me dijo mi madre.

—Peter van Houten la entenderá, créeme. En *Un dolor imperial* hay siete mil alusiones a Magritte.

—Pero es una pipa.

—No, no lo es —le dije—. Es un dibujo de una pipa. ¿Lo pillas? Todas las representaciones de algo son intrínsecamente abstractas. Es muy inteligente.

—¿Cómo has crecido tanto que entiendes cosas que confunden a tu vieja madre? —me preguntó—. Parece que fue ayer cuando le contaba a la Hazel de siete añitos por qué el cielo era azul. En aquella época pensabas que era un genio.

—¿Por qué el cielo es azul? —le pregunté.

—Porque sí —me contestó.

Me reí.

A medida que se acercaban las diez, estaba cada vez más nerviosa. Nerviosa por ver a Augustus, por conocer a Peter van Houten, por no haberme vestido bien, por si no encontrábamos la casa, ya que todas las casas de Amsterdam parecían iguales, por si nos perdíamos y no sabíamos volver al Filosoof... Era un manojo de nervios. Mi madre intentaba charlar conmigo, pero la verdad es que no la escuchaba. Estuve a punto de pedirle que subiera a asegurarse de que Augustus se había levantado cuando llamó a la puerta.

Abrí. Se quedó mirando mi camiseta y sonrió.

—Qué gracia —dijo.

—No me digas que te hacen gracia mis tetas —le contesté.

—Estoy aquí —nos recordó mi madre desde atrás.

Pero había conseguido que Augustus se ruborizara y lo había dejado tan fuera de juego que por fin pude alzar la mirada hacia él.

—¿Estás segura de que no quieres venir? —le pregunté a mi madre.

—Hoy voy al Rijksmuseum y al Vondelpark —me contestó—. Además, no entiendo su libro. Sin ánimo de ofender. Da las gracias a él y a Lidewij de nuestra parte, ¿vale?

—Vale —le dije.

Abracé a mi madre, que me dio un beso en la cabeza, por encima de la oreja.

La casa de Peter van Houten estaba justo después de girar la esquina del hotel, en la Vondelstraat, frente al parque. Número 158. Augustus me cogió de la mano, y con la otra mano agarró el carrito del oxígeno y subimos los tres peldaños que llevaban a la puerta de la calle, de color azul oscuro. El corazón me latía a toda prisa. Una puerta cerrada me separaba de las respuestas con las que soñaba desde que había leído por primera vez aquella última página inconclusa.

Desde dentro llegaba el sonido de un bajo a un volumen tan alto que las repisas de las ventanas vibraban. Me pregunté si Peter van Houten tenía un hijo al que le gustaba el rap.

Agarré la aldaba, con forma de cabeza de león, y llamé. La música siguió sonando.

—Quizá no oye la puerta con esta música —me dijo Augustus.

Cogió la cabeza de león y llamó más fuerte.

La música cesó y se oyó el sonido de unos pasos. Se deslizó un pestillo. Otro. La puerta se abrió con un chirrido. Un hombre barrigudo, con poco pelo, mejillas caídas y barba de una semana entrecerró los ojos deslumbrado. Llevaba un pijama azul celeste como los de las películas antiguas. Su cara y su barriga eran tan redondas y sus brazos tan flacos que parecía una bola de masa con cuatro palillos clavados.

—¿El señor Van Houten? —le preguntó Augustus alzando un poco la voz.

Cerró de un portazo. Desde el otro lado de la puerta oí un grito balbuceante y agudo:

—¡LIDEWIJ!

—¿Han llegado, Peter? —preguntó una mujer.

Lo oíamos todo desde fuera.

—Hay... Lidewij, hay dos apariciones adolescentes en la puerta.

—¿Apariciones? —preguntó la mujer con una bonita cadencia holandesa.

—Fantasmas, espectros, demonios, visitantes, extraterrestres, apariciones, Lidewij —contestó Van Houten—. ¿Cómo es posible que alguien que está haciendo un posgrado en literatura estadounidense maneje tan mal el inglés?

—Peter, no son extraterrestres. Son Augustus y Hazel, los jóvenes admiradores con los que te has escrito.

—¿Que son... qué? ¡Pensaba que estaban en Estados Unidos!

—Sí, pero los invitaste a venir, ¿recuerdas?

—¿Sabes por qué me marché de Estados Unidos, Lidewij? Para no tener que volver a ver a estadounidenses.

—Pero tú eres estadounidense.

—No puedo remediarlo, parece. Pero, en cuanto a esos estadounidenses, diles que se vayan ahora mismo, que ha sido un terrible error, que la invitación del bendito Van Houten era retórica, no real, que este tipo de ofertas deben entenderse simbólicamente.

Pensé que iba a vomitar. Miré a Augustus, que no apartaba los ojos de la puerta, y vi sus hombros caídos.

—No voy a hacerlo, Peter —contestó Lidewij—. Tienes que hablar con ellos. Debes hacerlo. Necesitas verlos. Necesitas ver que tu obra es importante.

—Lidewij, ¿me has engañado a propósito para organizarlo?

Siguió un largo silencio, y por fin la puerta se abrió. Van Houten nos miró alternativamente a Augustus y a mí, todavía con los ojos entrecerrados.

—¿Quién de los dos es Augustus Waters? —preguntó.

Augustus levantó la mano con cautela.

Van Houten asintió.

—¿Habías llegado a un acuerdo con esta chica?

Por primera y única vez vi a un Augustus Waters que no sabía qué decir.

—Pues… —empezó a decir—, pues… yo… Hazel, pues… bueno…

—Este chico parece un poco retrasado —dijo Peter van Houten a Lidewij.

—¡Peter! —le regañó la chica.

—Bueno —continuó Peter van Houten tendiéndome la mano—, en cualquier caso, es un placer conocer a criaturas tan ontológicamente inverosímiles.

Le estreché la mano, que era fofa, y después se la tendió a

Augustus. Me preguntaba qué quería decir «ontológicamente». A pesar de todo, me gustó. Augustus y yo estábamos juntos en el club de las criaturas inverosímiles. Nosotros y los ornitorrincos.

Por supuesto, había esperado que Peter van Houten estuviera cuerdo, pero el mundo no es una fábrica de conceder deseos. Lo importante era que la puerta estaba abierta y que estaba a punto de descubrir qué pasaba después del final de *Un dolor imperial.* Con eso bastaba. Lo seguimos a él y a Lidewij, dejamos atrás una enorme mesa de roble con solo dos sillas y llegamos a una sala de estar escalofriantemente aséptica. Parecía un museo, con la salvedad de que en las blancas paredes no había cuadros. En la sala, que parecía vacía, no había más que un sofá y un diván, ambos de metal y cuero negro. De pronto vi dos bolsas grandes de basura, llenas y arrugadas, debajo del sofá.

—¿Basura? —murmuré a Augustus en voz tan baja que pensé que nadie más podría oírlo.

—Cartas de admiradores —contestó Van Houten sentándose en el diván—. Nada menos que dieciocho años. No puedo abrirlas. Me aterrorizan. Las suyas son las primeras cartas que he respondido, y ya ven lo que me ha pasado. Sinceramente, no me apetece nada saber quiénes son mis lectores.

Eso explicaba por qué nunca había contestado mis cartas. No las había leído. Me pregunté por qué las conservaba, por lo demás en una sala de estar vacía. Van Houten subió los pies encima del diván, cruzó las zapatillas y se reclinó en el sofá. Augustus y yo nos sentamos juntos, aunque no pegados.

—¿Quieren desayunar algo? —nos preguntó Lidewij.

Había empezado a decir que ya habíamos comido cuando Peter me interrumpió.

—Es demasiado temprano para desayunar, Lidewij.

—Bueno, son estadounidenses, Peter, así que para ellos son más de las doce.

—Entonces es demasiado tarde para desayunar —replicó—. Pero, bueno, como para ellos es mediodía, deberíamos tomarnos una copa. ¿Un whisky? —me preguntó.

—Pues… no. No quiero nada, gracias —le contesté.

—¿Augustus Waters? —preguntó Van Houten girando la cara hacia Gus.

—No, gracias.

—Pues solo para mí, Lidewij. Whisky con agua, por favor. —Y volvió a dirigirse a Augustus—: ¿Sabes cómo preparamos el whisky con agua en esta casa?

—No, señor —le contestó Augustus.

—Servimos whisky en un vaso, después pensamos en agua, y mezclamos el whisky real con la idea abstracta del agua.

—Quizá podrías comer algo antes, Peter —dijo Lidewij.

—Cree que tengo problemas con la bebida —respondió mirándonos a nosotros.

—Y creo que ha salido el sol —contestó Lidewij.

Aun así, la mujer se dirigió al mueble bar del salón, sacó una botella de whisky, llenó medio vaso y se lo llevó. Peter van Houten dio un sorbo y se incorporó.

—Una bebida tan buena merece la mejor postura —comentó.

Fui consciente de mi postura y me incorporé un poco en el sofá. Me coloqué bien los tubos. Mi padre siempre me decía que puedes hacerte una idea de las personas por cómo tratan a los camareros y a sus ayudantes. Según este criterio, Peter van Houten era seguramente el tipo más despreciable del mundo.

—Así que te gusta mi libro —le dijo a Augustus después de dar otro sorbo.

—Sí —dije en nombre de Augustus—. Y sí, pedimos... Bueno, Augustus pidió como deseo conocerlo para que pudiéramos venir a Amsterdam y nos contara qué pasa después del final de *Un dolor imperial*.

Van Houten no dijo nada. Se limitó a dar un largo trago de whisky.

—De alguna manera, su libro es lo que nos unió —dijo Augustus un minuto después.

—Pero no están juntos —comentó sin mirarme.

—Lo que nos acercó —dije yo.

Esta vez se dirigió a mí:

—¿Te has vestido como ella a propósito?

—¿Como Anna? —le pregunté.

Me miró fijamente sin contestarme.

—Más o menos —dije.

Volvió a dar otro largo trago e hizo una mueca.

—No tengo problemas con la bebida —comentó en voz innecesariamente alta—. Mantengo una relación churchilliana con el alcohol. Puedo soltar bromas, gobernar Inglaterra y hacer lo que me dé la gana, menos no beber.

Lanzó una mirada a Lidewij y señaló el vaso con la cabeza. La chica lo cogió y volvió al mueble bar.

—Solo la idea de agua, Lidewij —le ordenó.

—Sí, ya lo sé —le contestó su asistente con acento casi estadounidense.

Llegó la segunda copa. Van Houten volvió a estirar la columna por respeto. Se quitó las zapatillas. Tenía los pies muy feos. Estaba mandando al traste mi idea de un escritor genial. Pero tenía las respuestas que estaba esperando.

—Bueno, pues... —dije— ante todo, queremos agradecerle la cena de ayer y...

—¿Les pagamos la cena ayer? —preguntó Van Houten a Lidewij.

—Sí, en el Oranjee.

—Ah, sí. Bueno, créanme si les digo que no tienen que agradecérmela a mí, sino a Lidewij, que tiene un don especial para gastarse mi dinero.

—Ha sido un placer —dijo Lidewij.

—Bueno, gracias en cualquier caso —contestó Augustus.

Su tono delataba que estaba molesto.

—En fin, aquí me tienen —dijo Van Houten al rato—. ¿Qué quieren preguntarme?

—Pues... —dijo Augustus.

—Con lo inteligente que parecía por escrito... —añadió Van Houten a Lidewij mirando a Augustus—. Quizá el cáncer le ha abierto una brecha en el cerebro.

—¡Peter! —exclamó Lidewij, lógicamente horrorizada.

También yo estaba horrorizada, pero el hecho de que un tipo fuera tan despreciable como para no tratarnos con cierta deferencia tenía un punto simpático.

—En realidad queremos hacerle varias preguntas —le respondí—. Le hablé de ellas en mi e-mail. No sé si lo recuerda.

—No.

—Le falla la memoria —dijo Lidewij.

—Si solo me fallara la memoria... —le contestó Van Houten.

—Lo que queremos preguntarle…

—Habla en plural mayestático —apuntó Peter sin dirigirse a nadie en concreto.

Otro trago. No tenía ni idea de a qué sabía el whisky, pero, si se parecía al champán, no entendía cómo podía beber tanto, tan deprisa y tan temprano.

—¿Conoces la paradoja de la tortuga de Zenón? —me preguntó.

—Lo que queremos preguntarle es qué sucede con los personajes después del final del libro, en concreto la madre…

—Te equivocas si piensas que tengo que escuchar tu pregunta para poder responderla. ¿Conoces al filósofo Zenón?

Negué ligeramente con la cabeza.

—Una lástima. Zenón fue un filósofo presocrático que se dice que descubrió cuarenta paradojas en la visión del mundo de Parménides… Seguro que sabes quién es Parménides.

Asentí, aunque no sabía quién era Parménides.

—Menos mal —dijo—. Zenón se dedicó sistemáticamente a poner de manifiesto las inexactitudes y las simplificaciones de Parménides, lo cual no era tan complicado, porque Parménides siempre se equivocó en todo. Parménides tiene valor exactamente en el mismo sentido que tiene valor conocer a alguien que elige el caballo equivocado cada vez que lo llevas a una carrera. Pero lo más importante de Zenón… Espera, dime si sabes algo de hip-hop sueco.

Me preguntaba si Peter van Houten estaba tomándonos el pelo. Augustus le contestó por mí:

—Muy poco.

—Vale, pero seguramente conocen *Fläcken*, el primer álbum de Afasi och Filthy.

—No, no lo conocemos —contesté por los dos.

—Lidewij, pon «Bomfalleralla» inmediatamente.

Lidewij se acercó a un reproductor de MP3, giró un poco la rueda y presionó un botón. Un rap resonó por todo el salón. Parecía un rap típico, solo que la letra era en sueco.

Cuando acabó la canción, Peter van Houten nos miró expectante, con los ojos abiertos como platos.

—¿Sí? —preguntó—. ¿Sí?

—Lo siento, pero no hablamos sueco —le dije.

—Por supuesto que no. Yo tampoco. ¿Quién mierda habla sueco? Lo importante no es las tonterías que dicen las voces, sino lo que las voces sienten. Seguro que saben que solo hay dos sentimientos, el amor y el odio, y Afasi och Filthy navega entre ambos con una facilidad que sencillamente es imposible encontrar en el hip-hop fuera de Suecia. ¿Quieren que se la vuelva a poner?

—¿Es broma? —le preguntó Gus.

—¿Cómo?

—¿Está representando una obra de teatro? ¿Es eso? —preguntó mirando a Lidewij.

—Me temo que no —le contestó Lidewij—. No siempre es... No suele...

—Oh, cállate, Lidewij. Rudolf Otto decía que si no te has topado con el noúmeno, si no has experimentado un contacto no racional con el *mysterium tremendum*, entonces su obra no era para ti. Y yo os digo a ustedes, muchachos, que si no oyen cómo responde al miedo Afasi och Filthy, entonces mi obra no es para ustedes.

Vuelvo a repetir que era un rap totalmente normal, solo que en sueco.

—Bueno... —le dije—. Volviendo a *Un dolor imperial*... Cuando el libro acaba, la madre de Anna está a punto...

Van Houten me interrumpió. Repiqueteó con el vaso mientras hablaba hasta que Lidewij volvió a llenárselo.

—Zenón es famoso sobre todo por su paradoja de la tortuga. Imaginemos que haces una carrera con una tortuga. La tortuga empieza a correr con diez metros de ventaja. En el tiempo que tardas en recorrer esos diez metros, la tortuga quizá ha avanzado uno. Y en el tiempo que tardas en recorrer esa distancia, la tortuga sigue avanzando, y así indefinidamente. Eres más rápida que la tortuga, pero nunca podrás alcanzarla. Solo podrás reducir su ventaja.

»Por supuesto, te limitas a adelantar a la tortuga sin prestar atención a lo que implica, pero la cuestión de cómo puedes hacerlo resulta ser increíblemente complicada, y nadie pudo resolverla hasta que Cantor nos mostró que hay infinitos más grandes que otros infinitos.

—Pues... —dije.

—Supongo que esto responde a tu pregunta —me dijo muy seguro de sí mismo.

Y bebió un trago generoso.

—La verdad es que no —le contesté—. Nos preguntábamos si al final de *Un dolor imperial*...

—Abomino de todo lo que dice esa putrefacta novela —me cortó Van Houten.

—No —dije yo.

—¿Perdón?

—No, es inaceptable —añadí—. Entiendo que la historia acaba en mitad de una frase porque Anna muere o está demasiado enferma para seguir, pero usted dijo que nos contaría qué les sucede a los personajes, y por eso estamos aquí, y necesitamos… necesito que me lo cuente.

Van Houten suspiró y dio otro trago.

—Muy bien. ¿Qué historia te interesa?

—La de la madre de Anna, el Tulipán Holandés, el hámster Sísifo… En fin, lo que les sucede a todos los demás personajes.

Van Houten cerró los ojos, resopló inflando las mejillas y alzó la mirada hacia las vigas de madera que cruzaban el techo.

—El hámster —dijo un momento después—. Christine adopta al hámster.

Christine era una amiga de Anna de antes de la enfermedad. Tenía sentido. Christine y Anna jugaban con Sísifo en varias escenas.

—Christine lo adopta, vive un par de años más después de que acaba la novela y muere en paz mientras duerme.

Por fin avanzábamos.

—Muy bien —le dije—. Muy bien. ¿Y el Tulipán Holandés? ¿Es un farsante? ¿Se casa con la madre de Anna?

Van Houten seguía contemplando las vigas del techo. Dio un trago. El vaso volvía a estar casi vacío.

—Lidewij, no puedo. No puedo. No puedo.

Bajó la mirada hasta mí.

—Al Tulipán Holandés no le sucede nada. Ni es un farsante ni deja de serlo. Es Dios. Es obviamente, y sin lugar a dudas, una representación metafórica de Dios, así que preguntar qué ha sido de él es intelectualmente equivalente a preguntar qué ha sido de los ojos incorpóreos del doctor T. J. Eckleburg en *Gatsby*. ¿Se casó con la madre de Anna? Estamos hablando de una novela, querida niña, no de un acontecimiento histórico.

—Vale, pero seguramente ha pensado qué sucede con ellos, quiero decir como personajes, al margen de su significado metafórico y todo eso.

—Son ficciones —me contestó volviendo a repiquetear el vaso—. No les sucede nada.

—Dijo que me lo contaría —insistí.

Me dije a mí misma que tenía que ser firme. Tenía que mantener su dispersa atención en mis preguntas.

—Es posible, pero tenía la errónea impresión de que no podrías cruzar el Atlántico. Pretendía... reconfortarte, supongo. Debería habérmelo pensado mejor. Pero, para serte del todo sincero, esa infantil idea de que el autor de una novela sabe algo de sus personajes... es ridícula. Esa novela surgió de garabatos en un papel, querida. Los personajes que la habitan no tienen vida fuera de esos garabatos. ¿Qué sucede con ellos? Todos dejan de existir en el momento en que acaba la novela.

—No —dije levantándome del sofá—. No. Eso lo entiendo, pero es imposible no imaginarles un futuro. Y usted es la persona más cualificada para imaginar ese futuro. Algo le sucedió a la madre de Anna. O se casó o no se casó. O se fue a Holanda a vivir con el Tulipán Holandés o no. O tuvo más hijos o no. Necesito saber qué le pasó.

Van Houten frunció los labios.

—Lamento no poder satisfacer tus caprichos infantiles, pero me niego a compadecerte, como estás acostumbrada.

—No quiero su compasión —le contesté.

—Como todos los niños enfermos —me dijo con tono indiferente—, dices que no quieres compasión, pero tu propia existencia depende de ella.

—Peter —añadió Lidewij.

Pero Van Houten se reclinó y siguió hablando. Las palabras se gestaban en su boca de borracho.

—Es inevitable que los niños enfermos se queden atrás. Estás destinada a vivir los días que te quedan como la niña que eras cuando te diagnosticaron la enfermedad, la niña que cree que hay vida después del final de una novela. Y nosotros, como adultos, te compadecemos, así que pagamos tus tratamientos y tus máquinas de oxígeno. Te damos de comer y de beber aunque hay pocas posibilidades de que vivas lo suficiente...

—¡PETER! —gritó Lidewij.

—Eres un efecto colateral —siguió diciendo Van Houten— de un proceso evolutivo al que le importan poco las vidas individuales. Eres un experimento de mutación fallido.

—¡RENUNCIO! —gritó Lidewij con lágrimas en los ojos.

Pero yo no estaba enfadada. Van Houten buscaba la manera más hiriente de decirme la verdad, pero por supuesto yo ya sabía la verdad. Había pasado años contemplando el techo de mi habitación y de la UCI, de modo que hacía mucho tiempo que había encontrado las maneras más hirientes de imaginar mi enfermedad. Di un paso hacia él.

—Escúchame, pendejo —le dije—. No puedes decirme nada sobre la enfermedad que no sepa. Necesito única y exclusivamente una cosa de ti antes de que salga de tu vida para siempre: ¿QUÉ LE SUCEDE A LA MADRE DE ANNA?

Alzó ligeramente su fofa barbilla hacia mí y se encogió de hombros.

—Puedo decirte lo que le sucede tanto como lo que le pasa al narrador de Proust, a la hermana de Holden Caulfield o a Huckleberry Finn cuando se marcha al oeste.

—¡PENDEJADAS! Puras pendejadas. ¡Dímelo de una vez! ¡Invéntate algo!

—No, y te agradecería que no dijeras palabrotas en mi casa. No es propio de una señorita.

Seguía sin estar enfadada, pero ponía todo mi empeño en conseguir lo que me había prometido. Algo se apoderó de mí, me acerqué a Van Houten y le pegué un golpe en la hinchada mano que sujetaba el vaso de whisky. El resultado fue que el el whisky le salpicó toda la cara, y el vaso le rebotó en la nariz, dio vueltas por los aires y se estrelló con un ruido espantoso contra el viejo suelo de madera.

—Lidewij —dijo Van Houten con tono tranquilo—, un martini, por favor. Solo una gota de vermut.

—He renunciado —le contestó la chica.

—No seas ridícula.

No sabía qué hacer. Ser buena no había funcionado. Ser mala tampoco. Necesitaba una respuesta. Había hecho un largo camino y le había robado a Augustus su deseo. Necesitaba saberlo.

—¿Alguna vez te has parado a preguntarte por qué te importan tanto tus estúpidas preguntas? —me dijo arrastrando las palabras.

—¡LO PROMETISTE! —grité.

Creí oír el llanto de impotencia de Isaac la noche de los trofeos rotos.

Van Houten no me contestó.

Estaba todavía frente a él, esperando que me dijera algo, cuando sentí que Augustus me cogía del brazo y tiraba de mí hacia la puerta. Lo seguí mientras Van Houten despotricaba sobre lo ingratos que eran los adolescentes de hoy en día y cómo se había perdido la educación, y Lidewij, histérica, le gritaba en holandés a toda velocidad.

—Tendrán que perdonar a mi ex asistente —dijo Van Houten—. El holandés es más una enfermedad de la garganta que una lengua.

Augustus siguió tirando de mí hasta que cruzamos la puerta de la calle y salimos a la mañana primaveral, con el confeti cayendo de los olmos.

Para mí no existían las huidas deprisa y corriendo, pero bajamos la escalera, Augustus sujetando mi carrito, y emprendimos el regreso al Filosoof por una acera desigual de imbricados ladrillos rectangulares. Por primera vez desde los columpios me eché a llorar.

—Hey —me dijo Augustus tocándome la cintura—. Eh, no pasa nada.

Asentí y me sequé la cara con el dorso de la mano.

—Es un cabrón.

Volví a asentir.

—Te escribiré un epílogo —me dijo Gus.

Me hizo llorar con más fuerza.

—Sí —continuó—, lo escribiré. Mejor que cualquier mierda que pueda escribir ese borracho. Se le ha reblandecido el cerebro. Ni siquiera recuerda que escribió el libro. Puedo escribir diez veces la historia que pueda escribir ese tipo. Habrá sangre, tripas y sacrificio. *Un dolor imperial* y *El precio del amanecer* se dan la mano. Te encantará.

Seguí asintiendo y fingiendo sonreír. Augustus me abrazó. Sus fuertes brazos me apretaron contra su pecho musculoso y le mojé un poco el saco, pero luego me recuperé un poco y pude hablar.

—He gastado tu deseo en este idiota —le dije apoyada contra su pecho.

—Hazel Grace, no. Estoy de acuerdo en que has gastado mi único deseo, pero no en él. Lo has gastado en nosotros.

Oí el sonido de unos tacones corriendo hacia nosotros por la acera y me giré. Era Lidewij, con el lápiz de ojos corrido por toda la cara y horrorizada, con razón.

—Quizá podríamos ir a la casa de Ana Frank —dijo.

—Yo no voy a ninguna parte con ese monstruo —le respondió Augustus.

—Él no está invitado —contestó Lidewij.

Augustus, protector, seguía abrazándome. Me acarició la cara con una mano.

—No creo que... —empezó a decir.

Pero lo interrumpí.

—Tenemos que ir.

Todavía quería respuestas de Van Houten, pero no era lo único. Solo me quedaban dos días en Amsterdam con Augustus Waters. No iba a permitir que un viejo patético me los echara a perder.

Lidewij conducía un viejo Fiat gris con un motor que sonaba como una niña de cuatro años nerviosa. Mientras circulábamos por las calles de Amsterdam, no dejaba de pedirnos disculpas.

—Lo siento mucho. No tiene excusa. Está muy enfermo —nos dijo—. Pensé que verlos lo ayudaría. Quería que viera que su obra ha influido en vidas reales, pero… Lo siento mucho. Ha sido bochornoso.

Ni Augustus ni yo dijimos nada. Yo iba en el asiento trasero, detrás de él. Pasé la mano entre la carrocería del coche y su asiento para buscar la suya, pero no la encontré.

—He seguido trabajando con él porque creo que es un genio y porque me paga muy bien —siguió diciendo Lidewij—, pero se ha convertido en un monstruo.

—Supongo que se hizo bastante rico con el libro —le contesté.

—Oh, no, no. Es un Van Houten —me contestó—. En el siglo XVII un antepasado suyo descubrió cómo mezclar cacao en agua. Algunos Van Houten se trasladaron a Estados Unidos hace mucho, y Peter desciende de ellos, pero vino a vivir a Holanda después de publicar su novela. Es una vergüenza para su importante familia.

El motor gritó. Lidewij cambió de marcha y cruzamos un puente sobre un canal.

—Son sus circunstancias —nos dijo—. Las circunstancias lo han hecho tan cruel. No es malo. Pero hoy no pensaba que… Cuando ha dicho esas barbaridades, no podía creérmelo. Lo siento mucho. Lo siento muchísimo.

Tuvimos que aparcar a una manzana de la casa de Ana Frank. Mientras Lidewij hacía cola para sacar nuestras entradas, me senté con la espalda apoyada en un pequeño árbol y observé las casas flotantes amarradas en el canal Prinsengracht. Augustus estaba de pie ante mí, trazando pequeños círculos con mi carrito del oxígeno y contemplando cómo giraban las ruedas.

Quería que se sentara a mi lado, pero sabía que le resultaba muy difícil sentarse, y todavía más levantarse.

—¿Estás bien? —me preguntó.

Me encogí de hombros y alargué una mano para tocarle la pierna. Era su pierna falsa, pero dejé la mano. Me miró desde arriba.

—Quería… —le dije.

—Ya sé —me contestó—, ya sé, pero por lo visto el mundo no es una fábrica de conceder deseos.

Me hizo sonreír un poco.

Lidewij volvió con las entradas, pero con sus finos labios fruncidos en un gesto preocupado.

—No hay ascensor —nos dijo—. Lo siento muchísimo.

—No pasa nada —le dije.

—No, hay muchas escaleras —dijo—. De escalones altos.

—No pasa nada —repetí.

Augustus empezó a decir algo, pero lo interrumpí.

—No pasa nada. Puedo subir.

Empezamos en una sala que mostraba un vídeo sobre los judíos en Holanda, la invasión nazi y la familia Frank. Luego subimos a la casa del canal en la que estuvo la empresa de Otto Frank. La escalera era pronunciada tanto para Augustus como para mí, pero me sentía fuerte. Enseguida contemplé la famosa estantería que había ocultado a Ana Frank, a su familia y a otras cuatro personas. Estaba separada de la pared, y detrás de ella había una escalera todavía más pronunciada, de una anchura en la que solo cabía una persona. Había gente visitando la casa, y yo no quería que tuvieran que esperarme, pero Lidewij les pidió un poco de paciencia y empecé a subir. Lidewij me siguió con el carrito, y detrás de ella subió Gus.

Eran catorce escalones. No dejaba de pensar en la gente que iba detrás de nosotros —en su mayoría adultos que hablaban diferentes lenguas— y me sentía incómoda, como un fantasma que reconforta y atormenta a la vez, pero por fin llegué a una inquietante habitación vacía y me apoyé en la pared. Mi cerebro decía a mis pulmones: «Ya está, ya está, traquilos, ya está», y mis pulmones decían a mi cerebro: «Ay, aquí nos morimos». Ni siquiera había visto llegar a Augustus, que se acercó, se pasó la mano por la frente, como diciendo «¡uf!».

—Eres una campeona —me dijo.

Tras varios minutos apoyada en la pared, me dirigí a la siguiente habitación, la que Ana compartió con el dentista Fritz Pfeffer. Era diminuta y no tenía un solo mueble. Nunca pensarías que alguien vivió en aquella habitación si no fuera porque las fotos de revistas y periódicos que Ana Frank pegó en la pared seguían ahí.

Otra escalera conducía a la habitación en la que vivió la familia Van Pels, más pronunciada todavía que la anterior y con dieciocho peldaños, básicamente una escalera de mano con pretensiones. Llegué al umbral, miré hacia arriba y pensé que no podía, pero sabía que el único camino era subir.

—Volvamos —dijo Gus detrás de mí.

—Estoy bien —le contesté en voz baja.

Es una tontería, pero pensaba que se lo debía —a Ana Frank, quiero decir—, porque ella estaba muerta y yo no, porque se había pasado mucho tiempo en silencio y con las persianas bajadas, lo había hecho todo bien, pero aun así murió, de modo que yo tenía que subir los escalones y ver el resto del espacio en el que vivió durante años, antes de que llegara la Gestapo.

Empecé a subir la escalera casi a gatas, como una niña, al principio despacio para poder respirar, pero después un poco más deprisa porque sabía que no iba a poder respirar y quería llegar arriba antes de estar agotada. La oscuridad invadía mi campo de visión mientras me arrastraba por los dieciocho escalones de mierda. Por fin llegué, casi ciega, con náuseas y con los músculos de las piernas y de los brazos pidiendo oxígeno a gritos. Me desplomé contra una pared jadeando. Por encima de mí había una estructura cuadrada de vidrio clavada en la pared. Alcé los ojos para ver el techo a través de ella e intenté no desmayarme.

Lidewij se agachó a mi lado.

—Ya estás arriba del todo. No hay más escaleras.

Asentí. Me daba más o menos cuenta de que las personas que me rodeaban me miraban preocupadas, de que Lidewij hablaba en voz baja con varios visitantes en una lengua, luego en otra, y en otra más, de que Augustus estaba de pie frente a mí y me acariciaba el pelo con una mano.

Largo rato después Lidewij y Augustus me ayudaron a levantarme y vi lo que protegía la estructura de vidrio: marcas a lápiz en el papel pintado que señalaban cómo habían ido creciendo los niños en el anexo durante el período en que vivieron allí, centímetro a centímetro, hasta que no pudieron seguir creciendo.

Allí terminaba la zona en la que vivieron los Frank, pero el museo continuaba. En un largo y estrecho vestíbulo había fotos de las ocho personas que vivieron en el anexo y descripciones de cómo, dónde y cuándo murieron.

—Fue el único miembro de la familia que sobrevivió a la guerra —nos contó Lidewij refiriéndose a Otto, el padre de Ana.

Hablaba en susurros, como si estuviéramos en una iglesia.

—En realidad no sobrevivió a una guerra, sino a un genocidio —dijo Augustus.

—Es cierto —respondió Lidewij—. No sé cómo es posible seguir adelante sin tu familia. No lo sé.

Mientras leía la información sobre los siete que murieron, pensaba en Otto Frank, que dejó de ser padre, y lo único que le quedó tras perder a su mujer y a sus dos hijas fue un diario. Al final del vestíbulo, un libro enorme, más grande que un diccionario, contenía los nombres de los ciento tres mil holandeses que murieron en el Holocausto. (Una etiqueta en la pared explicaba que solo sobrevivieron cinco mil deportados judíos, cinco mil Otto Frank.) El libro estaba abierto por la página en la que aparecía el nombre de Ana Frank, pero lo que me llamó la atención fue que justo debajo de su nombre había cuatro Aron Frank. Cuatro. Cuatro Aron Frank sin museo, sin detalles históricos y sin nadie que llorara por ellos. Decidí en silencio recordar y rezar por los cuatro Aron Frank mientras estuviera viva. (Quizá algunos necesiten creer en un Dios real y omnipotente para rezar, pero yo no.)

Cuando llegábamos al final de la sala, Gus se detuvo.

—¿Estás bien? —me preguntó.

Asentí.

—Lo peor es que casi se salva, ¿sabes? —me dijo señalando la foto de Ana—. Murió unas semanas antes de que los liberaran.

Lidewij se alejó unos pasos para ver un vídeo, y yo cogí a Augustus de la mano mientras entrábamos en la siguiente sala. Era una sala triangular con cartas que Otto Frank escribió en los meses en que buscaba a sus hijas. En medio de la sala, en la pared, se proyectaba un vídeo en el que aparecía Otto Frank hablando en inglés.

—¿Quedan nazis a los que pueda perseguir y llevar ante la justicia? —me preguntó Augustus mientras nos acercábamos a las vitrinas para leer las cartas de Otto y las sangrantes respuestas, que decían que no, nadie había visto a sus hijas tras la liberación.

—Creo que están todos muertos, pero no creo que los nazis tuvieran el monopolio del mal.

—Es verdad —me contestó—. Podemos hacer una cosa, Hazel Grace: nos unimos y formamos juntos una patrulla de discapacitados que clame por todo el mundo, repare daños, defienda a los débiles y proteja a los que estén en peligro.

Aunque era su sueño, no el mío, acepté. Al fin y al cabo, él había aceptado el mío.

—La audacia será nuestra arma secreta —le dije.

—Nuestras gestas sobrevivirán mientras el ser humano tenga voz —dijo Augustus.

—Incluso después, cuando los robots recuerden lo absurdos que eran los sacrificios y la piedad de los hombres.

—Los robots se reirán de nuestra valiente locura —dijo—. Pero algo en sus corazones de hierro anhelará haber vivido y haber muerto como nosotros, cumpliendo nuestra misión como héroes.

—Augustus Waters —le dije.

Alcé la mirada hacia él y pensé que no estaba bien besar a alguien en la casa de Ana Frank, pero luego pensé que, al fin y al cabo, Ana Frank besó a alguien en la casa de Ana Frank, y que seguramente nada le habría gustado más para su casa que verla convertida en un lugar en el que jóvenes irreparablemente destrozados se abandonan al amor.

Otto Frank decía en el vídeo, en su inglés con acento: «Debo decir que me sorprendió mucho que los pensamientos de Ana fueran tan profundos».

Nos besamos. Solté el carrito del oxígeno y le pasé la mano por la nuca, y él me alzó por la cintura hasta dejarme de puntillas. Cuando sus labios entreabiertos rozaron los míos, empecé a sentir que me faltaba la respiración, pero de una manera nueva y fascinante. El mundo que nos rodeaba se esfumó, y por un extraño momento me gustó realmente mi cuerpo. De pronto, aquel cuerpo destrozado por el cáncer que llevaba años arrastrando parecía merecer la batalla, los tubos en el pecho, las cánulas y la incesante traición de los tumores.

«Era una Ana muy diferente de la que había conocido como mi hija. La verdad es que nunca mostraba este tipo de sentimientos íntimos», continuó diciendo Otto Frank.

El beso se prolongó mientras Otto Frank seguía hablando detrás de mí.

«Y como yo mantenía una excelente relación con Ana, mi conclusión es que la mayoría de los padres no conocen realmente a sus hijos.»

Me di cuenta de que tenía los ojos cerrados y los abrí. Augustus estaba mirándome, sus ojos azules más cerca de mí que nunca, y detrás de él una multitud había formado a nuestro alrededor una especie de grueso corro. Pensé que estarían enfadados. Horrorizados. Estos jovencitos y sus hormonas, pegándose el lote debajo de un vídeo que reproducía la voz quebrada de un padre que había perdido a sus hijas.

Me separé de Augustus, que me dio un beso en la frente mientras yo miraba fijamente mis Converse. Entonces empezaron a aplaudir. Toda aquella gente, aquellos adultos, empezó a aplaudir, y alguien gritó «¡Bravo!» con acento europeo. Augustus se inclinó hacia delante con una sonrisa. Yo, riéndome, hice una ligera reverencia justo cuando volvía a estallar un aplauso.

Nos dispusimos a bajar, pero primero dejamos que aquellos adultos pasaran por delante de nosotros. Justo antes de llegar a la cafetería (donde un bendito ascensor nos llevó a la planta baja y a la tienda del museo) vimos páginas del diario de Ana y también su libro de citas, que no se había publicado. Este libro estaba abierto en una página que contenía citas de Shakespeare. Ana había anotado: «¿Quién es tan firme que no se le pueda seducir?».

Lidewij nos acompañó en coche al Filosoof. Aunque estaba lloviznando, Augustus y yo nos quedamos en la acera, frente al hotel, mojándonos poco a poco.

Augustus: Tendrías que descansar un rato.

Yo: Estoy bien.

Augustus: Bien. (Pausa.) ¿En qué piensas?

Yo: En ti.

Augustus: ¿En qué de mí?

Yo: «No sé qué preferir, / si la belleza de las inflexiones / o la belleza de las insinuaciones, / el mirlo cuando silba / o cuando acaba de hacerlo».

Augustus: Qué sexy eres.

Yo: Podríamos ir a tu habitación.

Augustus: He oído ideas peores.

Nos apretamos en el diminuto ascensor, todo él, incluso el techo, de espejo. Tuvimos que tirar de la puerta para cerrar, y luego el viejo cacharro chirrió mientras subía lentamente al segundo piso. Estaba cansada, sudorosa y preocupada por estar hecha un asco y oler fatal, pero aun así besé a Augustus en el ascensor. Él se apartó un poco, señaló un espejo y dijo:

—Mira, infinitas Hazel.

—Hay infinitos más grandes que otros infinitos —contesté arrastrando las palabras e imitando a Van Houten.

—Menudo mamarracho de mierda —añadió Augustus.

Tardamos una eternidad en llegar al segundo piso. Al final, el ascensor dio una sacudida, se detuvo y Augustus empujó la puerta de espejo. Cuando estaba medio abierta, hizo un gesto de dolor y dejó de empujarla un segundo.

—¿Estás bien? —le pregunté.

—Sí, sí —me contestó—. Es solo que la puerta pesa demasiado, me temo.

Volvió a empujar y la abrió. Me dejó salir antes que él, por supuesto, pero no sabía hacia dónde dirigirme, así que me quedé parada junto a la puerta del ascensor. Gus se detuvo también, con la cara todavía contraída.

—¿Estás bien? —volví a preguntarle.

—Solo en baja forma, Hazel Grace. No hay problema.

Estábamos en medio del vestíbulo. Augustus no se dirigía hacia su habitación, y yo no sabía cuál era. Al ver que no salíamos de aquel punto muerto, llegué a la conclusión de que estaba intentando encontrar la manera de no enrollarse conmigo, de que no debería habérselo propuesto yo, de que no era propio de una señorita, y por lo tanto no le había gustado a Augustus Waters, que me miraba imperturbable, intentando que se le ocurriera una manera de zafarse de la situación con elegancia.

Y por fin, tras una eternidad, me dijo:

—Es por encima de la rodilla. Se estrecha un poco y luego solo hay piel. La cicatriz es asquerosa, pero solo parece...

—¿Qué? —le pregunté.

—Mi pierna —me contestó—. Así estás preparada por si... quiero decir, por si la ves y...

—Venga, supéralo de una vez.

Avancé los dos pasos que me separaban de él, lo besé muy fuerte, presionándolo contra la pared, y seguí besándolo mientras se hurgaba en el bolsillo buscando la llave de la habitación.

Nos metimos sigilosamente en la cama. El oxígeno limitaba un poco mi libertad de movimientos, pero aun así me coloqué encima de él, le quité el saco y saboreé el sudor de su piel por debajo de la clavícula mientras le susurraba: «Te quiero, Augustus Waters». Al oírmelo decir, su cuerpo se relajó. Extendió los brazos e intentó quitarme la camiseta, pero se quedó enredada en el tubo. Me reí.

—¿Cómo puedes desnudarte todos los días? —me preguntó mientras yo desenredaba la camiseta.

Fue una estupidez, pero de pronto se me ocurrió que mis bragas de color rosa no pegaban con mi sujetador violeta, como si los chicos se fijaran en estas cosas. Me deslicé debajo del edredón y me quité los bluyines y las medias. Y después contemplé el baile del edredón mientras Augustus, debajo de él, se quitaba primero los bluyines y después la pierna.

Nos tumbamos boca arriba, muy juntos, tapados con el edredón, y un segundo después alargué la mano hasta su muslo y la deslicé hacia abajo, hacia el muñón, donde estaba la gruesa cicatriz. Agarré el muñón un instante, y Augustus se estremeció.

—¿Te duele? —le pregunté.

—No —me contestó.

Se colocó de lado y me besó.

—Estás buenísimo —le dije con la mano todavía en su pierna.

—Empiezo a pensar que te dan morbo los amputados —me contestó sin dejar de besarme.

Me reí.

—Me da morbo Augustus Waters —le expliqué.

La cosa fue exactamente lo contrario de lo que me había imaginado: lenta, paciente, silenciosa y ni especialmente dolorosa ni especialmente extasiante. Tuvimos problemas con los condones, a los que no presté demasiada atención. No rompimos el cabezal. No gritamos. La verdad es que seguramente fue la vez que pasamos más tiempo juntos sin hablar.

Solo una cosa siguió el estereotipo: después, cuando tenía la cara apoyada en el pecho de Augustus y escuchaba los latidos de su corazón, me dijo:

—Hazel Grace, se me cierran literalmente los ojos.

—Abusas de la literalidad —le contesté.

—No —me dijo—. Estoy muy cansado.

Giró la cara, y yo seguí con el oído sobre su pecho, escuchando sus pulmones ajustarse al ritmo del sueño. Al rato me levanté, me vestí, encontré un bloc con el membrete del hotel Filosoof y le escribí una carta de amor:

Querido Augustus:

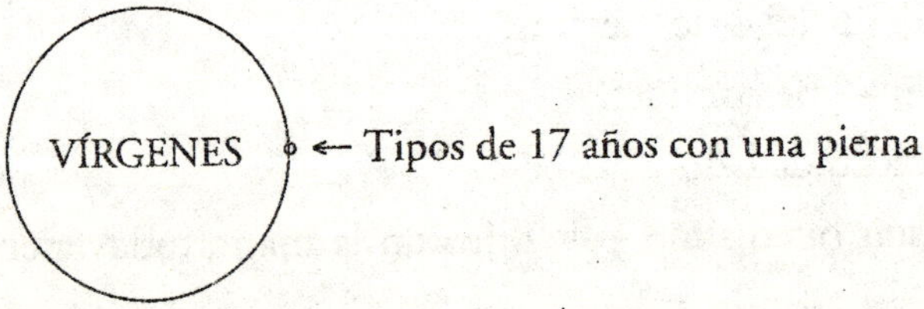

Tuya,

Hazel Grace

Capítulo 13

A la mañana siguiente, nuestro último día entero en Amsterdam, mi madre, Augustus y yo recorrimos la media manzana que separaba el hotel del Vondelpark, donde encontramos una cafetería cerca del museo nacional de cine. Mientras nos tomábamos un café con leche —que el camarero nos explicó que en Holanda lo llaman «café equivocado», porque tiene más leche que café—, nos sentamos a la sombra de un enorme castaño y le contamos a mi madre nuestra visita al gran Peter van Houten. Se la contamos en plan divertido. Creo que en este mundo tienes que elegir cómo cuentas las historias tristes, y nosotros elegimos la versión divertida. Augustus, desplomado en la silla de la cafetería, fingió ser Van Houten, al que se le trababa la lengua, arrastraba las palabras y ni siquiera podía levantarse de la silla. Yo me levanté para hacer de mí misma, toda bravucona y agresiva.

—¡Levántate, viejo feo y seboso! —le grité.

—¿Lo llamaste feo? —me preguntó Augustus.

—Tú sigue —le dije.

—¿Feo yooo? Tú sí que eres fea, con esos tubos en la napia.

—¡Eres un cobarde! —rugí.

Augustus se salió del papel y se echó a reír. Me senté y le contamos a mi madre nuestra visita a la casa de Ana Frank, sin incluir el beso.

—¿Volvieron a casa de Van Houten después? —preguntó mi madre.

Augustus ni siquiera dejó tiempo para que me pusiera roja.

—Qué va. Fuimos a una cafetería. Hazel me entretuvo haciendo viñetas cómicas con diagramas de Venn.

Me miró. Madre mía, qué sexy era.

—Parece divertido —dijo mi madre—. Miren, voy a dar un paseo, y así les dejo tiempo para que hablen —añadió mirando a Gus con cierto retintín—. Luego quizá podríamos dar una vuelta en barco por los canales.

—Vale, de acuerdo —le contesté.

Mi madre dejó un billete de cinco euros debajo de su plato. Me besó en la cabeza y me susurró:

—Te quiero mucho, mucho, mucho.

Eran dos muchos más de lo habitual.

Gus señaló las sombras de las ramas, que se entrecruzaban y se separaban en el hormigón.

—Bonito, ¿verdad?

—Sí —le contesté.

—Una buena metáfora —murmuró.

—¿De qué? —le pregunté.

—La imagen en negativo de cosas que el aire une y después separa —me dijo.

Cientos de personas pasaban ante nosotros corriendo, en bicicleta y en patines. Amsterdam era una ciudad diseñada para el movimiento y la actividad, una ciudad que prefería no viajar en coche, y por eso me sentía inevitablemente excluida. Pero qué bonita era. Un riachuelo se abría camino alrededor de un inmenso árbol, y una garza, inmóvil junto a la orilla, buscaba su desayuno entre los millones de pétalos de olmo que flotaban en el agua.

Pero Augustus no lo veía. Estaba demasiado ocupado observando el movimiento de las sombras.

—Podría pasarme el día mirándolas, pero deberíamos ir al hotel —me dijo por fin.

—¿Tenemos tiempo? —le pregunté.

—Qué más quisiera —me contestó con una sonrisa triste.

—¿Qué pasa? —le pregunté.

Señaló con la cabeza en dirección al hotel.

Caminamos en silencio, Augustus medio paso por delante de mí. Yo estaba demasiado asustada para preguntarle si tenía razones para estarlo.

Está eso a lo que llaman la jerarquía de necesidades de Maslow. Abraham Maslow se hizo famoso básicamente por su teoría de que es necesario satisfacer determinadas necesidades antes de que puedan surgir otras. Es algo así:

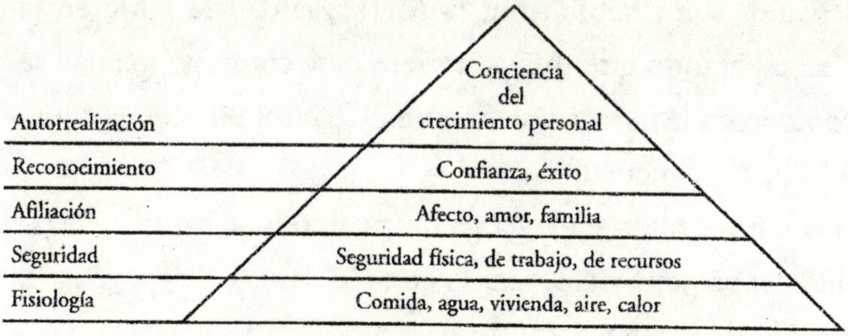

JERARQUÍA DE NECESIDADES DE MASLOW

Una vez satisfechas nuestras necesidades de comida y agua, pasamos al siguiente grupo, el de la seguridad, y vamos subiendo progresivamente. Pero lo importante es que, según Maslow, mientras nuestras necesidades fisiológicas no estén satisfechas, ni siquiera podemos preocuparnos por necesidades de seguridad y de afiliación, por no hablar de la autorrealización, que es cuando nos dedicamos a la creación artística y pensamos en cuestiones éticas, en física cuántica y esas cosas.

Según Maslow, yo me había quedado atascada en el segundo nivel. Era incapaz de sentirme segura de mi salud, y por lo tanto de alcanzar el amor, el respeto, el arte y todo lo demás. Una mierda como un piano, por supuesto. El impulso de hacer arte y el de filosofar no desaparecen cuando estás enfermo. Sencillamente, la enfermedad transforma estos impulsos.

La pirámide de Maslow parecía implicar que yo era menos humana que los demás, y al parecer casi todo el mundo estaba de acuerdo con él. Pero Augustus no. Siempre pensé que podía amarme porque había estado enfermo. Ni se me pasó por la cabeza que quizá seguía estándolo.

Llegamos a mi habitación, la Kierkegaard. Me senté en la cama esperando que Augustus se sentara conmigo, pero él se acomodó en la butaca polvorienta. ¿Cuántos años tenía aquella butaca? ¿Cincuenta?

Sentí un nudo en la garganta cuando lo vi sacar un cigarrillo del paquete y colocárselo entre los labios. Se apoyó en el respaldo de la butaca y suspiró.

—Justo antes de que te ingresaran en la UCI empezó a dolerme la cadera.

—No —dije.

El pánico se apoderó de mí.

Augustus asintió.

—Así que fui a hacerme un escáner.

Se detuvo. Se retiró el cigarrillo de la boca y apretó los dientes.

Había dedicado buena parte de mi vida a intentar no llorar delante de las personas que me querían, así que sabía lo que estaba haciendo Augustus. Aprietas los dientes. Miras al techo. Te dices a ti misma que si te ven llorando, sufrirán, y solo serás tristeza para ellos, y no debes convertirte en mera tristeza, así que no llorarás, y te dices todo esto a ti misma mirando al techo, y luego tragas saliva, aunque la garganta no la deja pasar, y miras a la persona que te quiere y sonríes.

Me lanzó su sonrisa torcida.

—Brillaba como un árbol de navidad, Hazel Grace. Alrededor del pecho, la cadera izquierda, el hígado… por todas partes.

«Por todas partes.» Las palabras se quedaron suspendidas en el aire. Ambos sabíamos lo que significaban. Me levanté, arrastré mi cuerpo y el carrito por una moqueta más vieja de lo que nunca llegaría a ser Augustus, me arrodillé frente a la butaca, apoyé la cabeza en su regazo y le rodeé la cintura con los brazos.

Augustus me acarició el pelo.

—Lo siento mucho —le dije.

—Perdona que no te lo dijera —continuó con tono tranquilo—. Tu madre debe de saberlo, por cómo me mira. Seguramente mi madre se lo ha contado. Debería habértelo dicho. Ha sido una estupidez egoísta.

Sabía por qué no me había dicho nada, por supuesto: por la misma razón por la que yo no quise que me viera en la UCI. No podía enfadarme con él ni por un segundo, y solo ahora que amaba a una granada entendí que era una tontería intentar salvar a los demás de mi inminente fragmentación. No podía dejar de amar a Augustus Waters. Y no quería.

—No es justo —le dije—. Es una injusticia de mierda.

—El mundo no es una fábrica de conceder deseos —me respondió.

Y de pronto se derrumbó, solo un momento, y su llanto rugió de impotencia como un trueno que no ha estado precedido por un relámpago, con la terrible ferocidad que los que no conocen el sufrimiento podrían confundir con debilidad. Tiró de mí hasta que nuestras caras casi se rozaron.

—Lucharé. Lucharé por ti. No te preocupes por mí, Hazel Grace. Estoy bien. Encontraré la manera de aguantar y seguir dándote lata mucho tiempo.

Yo lloraba. Pero aun en aquellos momentos Augustus era fuerte. Me abrazaba con tanta fuerza que veía los potentes músculos de sus brazos alrededor de mi cuerpo.

—Lo siento —añadió—. Todo irá bien. Para ti y para mí. Te lo prometo.

Y esbozó su sonrisa torcida.

Me besó en la frente y sentí que su poderoso pecho se desinflaba un poco.

—En fin, supongo que cometí una *hamartia*.

Algo después tiré de él hasta la cama. Estábamos tumbados cuando me contó que había empezado con la quimioterapia paliativa, pero la dejó para ir a Amsterdam, aunque sus padres se pusieron hechos una furia. Intentaron detenerlo hasta aquella misma mañana, cuando lo oí gritar que su vida le pertenecía.

—Podríamos haber cambiado la fecha —le dije.

—No, no podríamos —me contestó—. De todas formas, no estaba funcionando. Puedo asegurarte que no estaba funcionando. Ya me entiendes.

Asentí.

—Son puras estupideces —le dije.

—Probarán otra cosa cuando vuelva a casa. Siempre se les ocurre algo.

—Sí.

Yo también había hecho de conejillo de Indias.

—De alguna manera, te hice creer que estabas enamorándote de una persona sana —me dijo.

Me encogí de hombros.

—Yo habría hecho lo mismo.

—No, tú no lo habrías hecho, pero no todos podemos ser tan increíbles como tú.

Me besó y luego hizo una mueca.

—¿Te duele? —le pregunté.

—No. Un poco.

Pasó un largo rato mirando fijamente el techo.

—Me gusta este mundo —me dijo por fin—. Me gusta beber champán. Me gusta no fumar. Me gusta el sonido de los holandeses hablando en holandés. Y ahora… Ni siquiera tengo por lo que luchar.

—Tienes que luchar contra el cáncer —le dije—. Esa es tu batalla. Y seguirás luchando.

Odiaba que la gente intentara convencerme de que tenía que prepararme para luchar, pero eso mismo hice con él.

—Hoy va... va... va a ser el mejor día de tu vida. Ahora esta es tu guerra.

Me despreciaba a mí misma por sentir algo tan patético, pero ¿qué otra cosa me quedaba?

—Una guerra —contestó con desdén—. ¿Con qué estoy en guerra? Con mi cáncer. ¿Y qué es mi cáncer? Mi cáncer soy yo. Los tumores forman parte de mí. Sin duda forman parte de mí tanto como mi cerebro y mi corazón. Es una guerra civil, Hazel Grace, y ya sabemos quién la ganará.

—Gus.

No podía decir nada más. Era demasiado inteligente para el tipo de consuelo que le ofrecía.

—Está bien —me respondió.

Pero no lo estaba.

—Si vas al Rijksmuseum, y la verdad es que yo quería ir... Pero para qué vamos a engañarnos. Ninguno de los dos puede recorrer todo un museo... En fin, eché un vistazo a la colección online antes de venir. Si fueras, y espero que algún día vayas, verías muchos cuadros de muertos. Verías a Jesús en la cruz, a un tipo al que le pegan una puñalada en el cuello, a gente muriendo en el mar y en batallas, y todo un desfile de mártires. Pero NI UN SOLO CHICO CON CÁNCER. Nadie muriendo de peste, viruela, fiebre amarilla y cosas así, porque la enfermedad no es gloriosa. No tiene sentido. Morir de enfermedad no es honorable.

Abraham Maslow, te presento a Augustus Waters, cuya curiosidad existencial eclipsa la de sus semejantes bien alimentados, amados y sanos. Mientras la inmensa mayoría de los hombres se empeñaban en seguir consumiendo salvajemente sin planteárselo siquiera, Augustus Waters contemplaba la colección del Rijksmuseum desde la distancia.

—¿Qué? —me preguntó Augustus.

—Nada —le contesté—. Solo…

No podía terminar la frase. No sabía cómo.

—Solo que te quiero muchísimo.

Sonrió con la mitad de la boca, con la nariz a centímetros de la mía.

—El sentimiento es mutuo. Supongo que no podrás olvidarlo y tratarme como si no estuviera muriéndome.

—No creo que estés muriéndote —le contesté—. Lo que creo es que tienes un poquito de cáncer.

Sonrió. Humor negro.

—Estoy en una montaña rusa que no hace más que subir —me dijo.

—Y para mí es un privilegio y una responsabilidad subir ese camino contigo —le contesté.

—¿Sería totalmente absurdo intentarlo?

—No vamos a intentarlo —le dije—. Vamos a conseguirlo.

Capítulo 14

En el vuelo de regreso, a veinte mil pies por encima de las nubes, que estaban a diez mil pies de la tierra, Gus dijo:

—Antes pensaba que sería divertido vivir en una nube.

—Sí —contesté—. Como uno de esos trastos hinchables que andan por la luna, pero para siempre.

—En mitad de una clase de ciencias, el señor Martínez preguntó quién de nosotros había fantaseado alguna vez con la idea de vivir en las nubes, y todos levantamos la mano. Entonces nos contó que en las nubes el viento soplaba a doscientos kilómetros por hora, que la temperatura era de cuarenta grados bajo cero, que no había oxígeno y que todos moriríamos en segundos.

—Qué profe tan bueno.

—Yo diría que era especialista en matar los sueños, Hazel Grace. ¿Los volcanes te parecen maravillosos? Díselo a los diez mil cuerpos que gritaron en Pompeya. ¿Crees que todavía queda algo de magia en este mundo? No es más que moléculas sin alma rebotando entre sí al azar. ¿Te preocupa quién cuidará de ti si tus padres mueren? Haces bien, porque a su debido tiempo se convertirán en gusanos.

—La ignorancia es la felicidad —le dije.

Una azafata cruzó el pasillo con un carro de bebidas.

—¿Algo para beber? ¿Algo para beber? ¿Algo para beber?

Augustus se inclinó hacia mí y levantó la mano.

—Champán, por favor.

—¿Tienen veintiún años? —preguntó con tono de duda.

Me recoloqué los tubos de la nariz a propósito, para que los viera. La azafata sonrió y lanzó una mirada a mi madre, que estaba dormida.

—¿No le importará? —nos preguntó.

—Qué va —le contesté.

Así que llenó de champán dos copas de plástico. Premios de consolación por tener cáncer.

Gus y yo brindamos.

—Por ti —dijo.

—Por ti —contesté golpeando mi copa contra la suya.

Dimos un sorbo. Estrellas menos brillantes que las que habíamos tomado en el Oranjee, pero se podían beber.

—¿Sabes? —me dijo Gus—, todo lo que dijo Van Houten era verdad.

—Puede ser, pero no era necesario ser tan despreciable. No me creo que imaginara un futuro para el hámster Sísifo pero no para la madre de Anna.

Augustus se encogió de hombros. De repente pareció ausente.

—¿Estás bien? —le pregunté.

Movió la cabeza casi imperceptiblemente.

—Me duele —dijo.

—¿El pecho?

Asintió con los puños apretados. Más tarde lo describiría como un tipo gordo con una sola pierna y zapato de tacón alto de pie encima de su pecho. Puse recto el respaldo de mi asiento y me incliné hacia delante para sacar las pastillas de su mochila. Se tragó una con champán.

—¿Estás bien? —volví a preguntarle.

Gus seguía con los puños apretados, esperando que la medicina hiciera efecto, una medicina que, más que acabar con el dolor, le distanciaba de sí mismo (y de mí).

—Parecía algo personal —me dijo Gus en voz baja—. Como si estuviera enfadado con nosotros por algo. Me refiero a Van Houten.

Se bebió el champán que le quedaba con tragos rápidos y no tardó en quedarse dormido.

Mi padre estaba esperándonos en la zona de recogida de equipajes, entre los chóferes de limusinas uniformados y con carteles en los que estaba impreso el apellido de sus siguientes pasajeros: JOHNSON, BARRINGTON, CARMICHAEL... Mi padre también llevaba un cartel. MI BONITA FAMILIA, decía, y debajo: (Y GUS).

Lo abracé y empezó a llorar (por supuesto). En el coche Gus y yo contamos a mi padre historias de Amsterdam, pero hasta que estuve en casa, conectada a Philip, viendo viejos programas de televisión con mi padre y comiendo pizza que dejábamos en servilletas encima de los individuales, no le dije lo de Gus.

—Gus ha recaído —le dije.

—Lo sé —me contestó. Se movió para pegarse a mí y añadió—: Su madre nos lo contó antes del viaje. Lamento que no te lo dijera. Lo siento, Hazel.

No dije nada durante bastante rato. El programa que estábamos viendo iba sobre gente que elegía la casa que iban a comprar.

—He leído *Un dolor imperial* mientras estaban de viaje —me dijo mi padre.

Me giré hacia él.

—¡Genial! ¿Qué te ha parecido?

—Está bien. Un poco demasiado para mí. Recuerda que yo estudié bioquímica. No soy de literatura. Habría preferido que tuviera fin.

—Sí —le contesté—. La queja de siempre.

—Y me ha parecido un poco pesimista, un poco derrotista —añadió.

—Si por derrotista quieres decir «sincero», estoy de acuerdo.

—No creo que el derrotismo sea sinceridad —me contestó mi padre—. Me niego a aceptarlo.

—Entonces, ¿todo sucede por alguna razón, y viviremos todos en mansiones en las nubes y tocaremos el arpa?

Mi padre sonrió. Me rodeó con el brazo, tiró de mí y me besó en la sien.

—No sé lo que creo, Hazel. Pensaba que ser adulto significaba saber lo que crees, pero no ha sido esa mi experiencia.

—Sí —respondí—, vale.

Volvió a decirme que sentía lo de Gus, y luego seguimos viendo el programa de televisión; la gente elegía una casa, mi padre todavía me rodeaba con el brazo y yo empezaba a quedarme dormida, pero no quería irme a la cama.

—¿Sabes lo que creo? —me preguntó de pronto mi padre—. Recuerdo una clase de matemáticas en la facultad, una clase de matemáticas buenísima que daba una mujer mayor muy bajita.

Hablaba de la transformada rápida de Fourier cuando de repente se detuvo en mitad de una frase y dijo: «A veces parece que el universo quiere que lo observen».

»Eso es lo que creo. Creo que el universo quiere que lo observen. Creo que, aunque no lo parezca, el universo se posiciona a favor de la conciencia, que recompensa la inteligencia en parte porque disfruta de su elegancia cuando lo observa. ¿Y quién soy yo, que vivo en mitad de la historia, para decirle al universo que algo —o mi observación de algo— es temporal?

—Eres muy inteligente —le dije.

—Y tú eres muy buena con los cumplidos —me contestó.

La tarde siguiente fui a casa de Gus, comí sándwiches de mantequilla de cacahuete y jalea con sus padres, y les conté historias sobre Amsterdam mientras Gus echaba la siesta en el sofá del salón, donde habíamos visto *V de vendetta*. Podía verlo desde la cocina. Estaba tumbado boca arriba y con la cara en dirección contraria a mí. Le habían puesto ya un catéter. Atacaban el cáncer con un nuevo cóctel: dos fármacos quimioterapéuticos y un receptor de proteínas que esperaban que desactivara el oncogén del cáncer de Gus. Me dijeron que había tenido la suerte de que lo seleccionaran para el experimento. La suerte. Yo conocía uno de los medicamentos. Tan solo con oír su nombre me entraban ganas de vomitar.

Al rato llegó Isaac acompañado por su madre.

—Hola, Isaac. Soy Hazel, del grupo de apoyo, no tu malvada ex novia.

Su madre lo acercó hasta mí. Me levanté de la silla y lo abracé. Su cuerpo tardó un momento en encontrarme antes de devolverme el abrazo con fuerza.

—¿Qué tal Amsterdam? —me preguntó.

—Increíble —contesté.

—Waters, hombre, ¿dónde estás?

—Está echando la siesta —le dije.

Se me ahogó la voz. Isaac sacudió la cabeza. Nadie decía nada.

—Mierda —dijo Isaac por fin.

Su madre lo llevó hasta una silla, e Isaac se sentó.

—Todavía puedo controlar tu culo ciego en el *Contrainsurgencia* —respondió Augustus sin girarse hacia nosotros.

La medicina hacía que hablara un poco más lento, que era la velocidad de casi todo el mundo.

—Yo diría que todos los culos son ciegos —le contestó Isaac alzando las manos al aire en busca de su madre.

Su madre lo sujetó, lo ayudó a levantarse y lo acercó al sofá, donde Gus e Isaac se abrazaron con torpeza.

—¿Cómo te encuentras? —le preguntó Isaac.

—Todo me sabe a metal. Aparte de eso, estoy en una montaña rusa que no hace más que subir —le contestó Gus.

Isaac se rió.

—¿Qué tal los ojos? —le preguntó Gus.

—Oh, fantásticos —le contestó—. El único problema es que no están en mi cara.

—Increíble, sí —añadió Gus—. Que conste que no es por quitarte méritos, pero tengo el cuerpo lleno de cáncer.

—Eso me han dicho —respondió Isaac intentando no darle importancia.

Buscó a tientas la mano de Gus; sin embargo, encontró el muslo.

—Tengo novia —le dijo Gus.

La madre de Isaac trajo dos sillas del comedor, e Isaac y yo nos sentamos al lado de Gus. Lo cogí de la mano y tracé círculos entre su índice y su pulgar.

Los mayores bajaron al sótano a lamentarse y nos dejaron a los tres solos en el salón. Augustus giró la cabeza hacia nosotros, todavía desperezándose.

—¿Cómo está Mónica? —preguntó.

—No he vuelto a saber nada de ella —le contestó Isaac—. Ni una tarjeta, ni un e-mail. Tengo un cacharro que me lee los e-mails. Es increíble. Puedo poner voz de chico o de chica, cambiar el acento o lo que quiera.

—¿Puedo mandarte una historia porno y que te la lea un vejestorio alemán?

—Exacto —le dijo Isaac—. Aunque mi madre todavía tiene que ayudarme, así que mejor espera una semana o dos para mandármela.

—¿Ni siquiera te ha mandado un mensaje para preguntarte cómo te va? —le pregunté.

Me parecía una tremenda injusticia.

—Silencio total —me dijo Isaac.

—Ridículo —añadí yo.

—Ya ni lo pienso. No tengo tiempo para tener novia. Me toca aprender a ser ciego a jornada completa.

Gus giró la cabeza hacia la ventana, que daba al patio trasero, con los ojos cerrados.

Isaac me preguntó cómo me iba, y le contesté que bien. Me contó que en el grupo de apoyo había una chica nueva con una voz preciosa, y me pidió que fuera y le dijera si en realidad estaba buena. Entonces, sin venir a cuento, Augustus dijo:

—No puedes cortar todo contacto con tu ex cuando le acaban de quitar los putos ojos de la cara.

—Solo un… —empezó a decir Isaac.

—Hazel Grace, ¿tienes cuatro dólares? —me preguntó Gus.

—Sí, claro —le contesté.

—Perfecto. Mi pierna está debajo de la mesita —me dijo.

Gus se incorporó y se desplazó al extremo del sofá. Le pasé la pierna ortopédica, que se colocó lentamente.

Lo ayudé a levantarse. Después le ofrecí mi brazo a Isaac y lo guié entre muebles que de repente parecían molestos. Se me pasó por la cabeza la idea de que, por primera vez en años, era la persona más sana de la sala.

Me senté al volante, Augustus, en el asiento del copiloto, e Isaac, detrás. Paramos en un colmado, donde, siguiendo las instrucciones de Augustus, compré una docena de huevos mientras ellos me esperaban en el coche. Luego Isaac nos guió de memoria hasta la casa de Mónica, una casa de dos plantas totalmente aséptica cerca del Centro de la Comunidad Judía. El brillante Pontiac Firebird verde de Mónica, de los años noventa y con ruedas anchas, estaba aparcado en el camino.

—¿Es aquí? —preguntó Isaac al darse cuenta de que nos habíamos parado.

—Sí, es aquí —le contestó Augustus—. ¿Sabes lo que veo, Isaac? Veo que van a cumplirse nuestras esperanzas.

—¿Está en casa?

Gus giró la cabeza despacio para mirar a Isaac.

—¿A quién le importa dónde esté? No tiene nada que ver con ella. Tiene que ver contigo.

Gus cogió la caja de los huevos de sus rodillas, abrió la puerta del coche y sacó las piernas. Abrió la puerta de Isaac, y por el retrovisor vi cómo lo ayudaba a salir. Se apoyaban el uno en el hombro del otro, de manera que sus cuerpos formaban una figura parecida a dos manos que rezan sin que las palmas lleguen a tocarse.

Bajé la ventanilla y observé desde el coche, porque las gamberradas me ponían nerviosa. Avanzaron unos pasos hacia el coche de Mónica, Gus abrió la huevera y le pasó a Isaac un huevo. Isaac lo lanzó, pero fue a parar a más de diez metros del coche.

—Un poco a la izquierda —le dijo Gus.

—¿He tirado demasiado a la izquierda o tengo que tirar un poco a la izquierda?

—Tirar a la izquierda.

Isaac giró los hombros.

—Más a la izquierda —dijo Gus.

Isaac volvió a girar.

—Sí, perfecto. Y tira fuerte.

Gus le pasó otro huevo. Isaac lo lanzó. El huevo trazó un arco por encima del coche y se estrelló contra el techo inclinado de la casa.

—¡Diana! —exclamó Gus.

—¿En serio? —le preguntó Isaac entusiasmado.

—No, lo has lanzado unos cinco metros más allá del coche. Tira fuerte, pero bajo. Y un poco más a la derecha.

Isaac alargó el brazo y cogió él mismo un huevo de la huevera que sujetaba Gus. Lo lanzó y dio a las luces traseras.

—¡Sí! —gritó Gus—. ¡Sí! ¡LUCES!

Isaac cogió otro huevo, que lanzó demasiado a la derecha, luego otro, que lanzó demasiado alto, y después un tercero, que se estrelló contra el parabrisas trasero. A continuación estampó tres seguidos contra el maletero.

—Hazel Grace —me gritó Gus—, toma una foto para que Isaac pueda verla cuando inventen ojos robot.

Me levanté, me senté en el hueco de la ventanilla, apoyé los codos en el capó del coche y saqué una foto con el móvil: Augustus, con un cigarrillo sin encender en la boca y su preciosa sonrisa torcida, sujeta la huevera rosa casi vacía por encima de su cabeza. Tiene la otra mano apoyada en el hombro de Isaac, cuyas gafas de sol no miran a la cámara. Detrás de ellos, el parabrisas y el parachoques del Firebird verde, por el que resbalan yemas de huevo. Y detrás, una puerta que se abre.

—¿Qué pasa aquí? —preguntó la mujer de mediana edad un segundo después de que yo hubiera tomado la foto—. ¡Por todos los...!

Se calló.

—Señora —le dijo Augustus saludándola con la cabeza—, un ciego acaba de lanzar huevos al coche de su hija merecidamente. Por favor, entre en su casa y cierre la puerta o nos veremos obligados a llamar a la policía.

La madre de Mónica dudó un momento, pero cerró la puerta y desapareció. Isaac lanzó los últimos tres huevos a toda prisa, uno detrás del otro, y Gus lo acompañó de vuelta al coche.

—Ya ves, Isaac. Si les quitas (ahora llegamos al borde) el sentimiento de legitimidad, si le das la vuelta a la tortilla para que crean que están cometiendo un delito por mirar (unos pasos más), les llenas el coche de huevos, se quedarán confundidos, asustados y preocupados, y se limitarán a volver a sus (tienes la manilla justo delante) desesperadas y silenciosas vidas.

Gus rodeó deprisa el coche y se sentó en el asiento del copiloto. Cerraron las puertas, yo arranqué con un estruendo y conduje varios cientos de metros antes de darme cuenta de que me había metido en una calle sin salida. Di la vuelta, aceleré y dejé atrás la casa de Mónica.

Nunca volví a tomarle una foto.

Capítulo 15

Unos días después, en casa de Gus, sus padres, mis padres, él y yo nos apretábamos alrededor de la mesa del comedor y comíamos pimientos rellenos sobre un mantel que, según el padre de Gus, no utilizaban desde el siglo pasado.

Mi padre: Emily, este *risotto*...

Mi madre: Está delicioso.

La madre de Gus: Gracias. Puedo darles la receta.

Gus, tragando un bocado: Mirad, a primer bocado diría que no tiene nada que ver con el Oranjee.

Yo: Bien visto, Gus. Aunque la comida está deliciosa, no sabe como en el Oranjee.

Mi madre: Hazel.

Gus: Sabe a...

Yo: Comida.

Gus: Sí, exacto. Sabe a comida muy bien cocinada. Pero no sabe a... ¿cómo podría decirlo con delicadeza?

Yo: No sabe como cuando Dios en persona cocina el cielo en una serie de cinco platos que después te sirven acompañados de bolas luminosas de plasma fermentado y burbujeante mientras pétalos reales y literales descienden flotando alrededor de tu mesa junto al canal.

Gus: Muy bien expresado.

El padre de Gus: Nuestros hijos son raros.

Mi padre: Muy bien expresado.

Una semana después de aquella cena, Gus acabó en urgencias con dolor de pecho y lo dejaron ingresado, así que a la mañana siguiente fui a visitarlo a la cuarta planta del Memorial. No había estado en el Memorial desde la visita a Isaac. Las paredes no estaban pintadas de colores vivos y empalagosos ni había cuadros de perros conduciendo coches, como en el Hospital Infantil, sino que era tan absolutamente aséptico que me hizo sentir nostalgia de aquellas bobadas que hacían felices a los niños. El Memorial era funcional. Era un almacén. Un prematorio.

Cuando las puertas del ascensor se abrieron en la cuarta planta, vi a la madre de Gus recorriendo de un lado a otro la sala de espera y hablando por el móvil. Colgó rápidamente, me abrazó y se ofreció a llevarme el carrito.

—No es necesario —le dije—. ¿Cómo está Gus?

—Ha pasado una noche difícil, Hazel —respondió—. Su corazón está trabajando demasiado duro. Tiene que frenar la actividad. De ahora en adelante, silla de ruedas. Están dándole una medicina nueva que debería aliviarle un poco el dolor. Sus hermanas están a punto de llegar.

—Bien —le dije—. ¿Puedo verlo?

Me rodeó con el brazo y me apretó el hombro. Me sentí rara.

—Sabes que te queremos, Hazel, pero ahora mismo preferimos estar en familia. Gus está de acuerdo. ¿Te parece bien?

—Bien —le contesté.

—Le diré que has venido.

—Bien —le dije—. Creo que me quedaré un rato a leer.

La madre de Gus cruzó el pasillo en dirección a la habitación. Lo entendía, pero eso no evitaba que lo echara de menos, que pensara que quizá estaba perdiendo mi última oportunidad de verlo y de despedirme de él. La sala de espera estaba enmoquetada de color marrón, y las sillas también estaban forradas de tela marrón. Me senté un rato en un sofá de dos plazas, con el carrito del oxígeno entre los pies. Me había puesto las Converse y la camiseta de *Ceci n'est pas une pipe*, exactamente la misma ropa que había llevado dos semanas antes, la tarde del diagrama de Venn, pero Gus no lo vería. Me puse a ver las fotos del móvil, un catálogo en sentido inverso de los últimos meses, que empezaba con él e Isaac frente a la casa de Mónica y terminaba con la primera foto que le hice, cuando fuimos a los *Funky Bones*. Parecía una eternidad, como si hubiéramos estado juntos una breve pero infinita eternidad. Hay infinitos más grandes que otros infinitos.

Dos semanas después, empujaba la silla de ruedas de Gus por el parque, en dirección a los *Funky Bones*, con una botella entera de champán carísimo y mi tanque de oxígeno en su regazo. El champán había sido una donación de un médico de Gus, ya que Gus era de esas personas que inspiran a los médicos a regalar sus mejores botellas de champán a los jóvenes. Gus estaba en su silla de ruedas, y yo me senté en el césped, lo más cerca de los *Funky Bones* que pudimos llegar con la silla de ruedas. Señalé a los niños pequeños picándose entre sí por saltar del tórax al hombro, y Gus me contestó en voz baja, en el volumen mínimo para que lo oyera a pesar del jaleo:

—La última vez me imaginaba a mí mismo como un niño. Ahora me veo como el esqueleto.

Bebimos en vasos de papel de Winnie the Pooh.

Capítulo 16

Un día típico con el Gus de la última etapa.

Pasé por su casa hacia las doce del mediodía, cuando ya había desayunado y había vomitado el desayuno. Estaba esperándome en la puerta, sentado en su silla de ruedas. Ya no era el chico guapo y musculoso que me miraba fijamente en el grupo de apoyo, pero seguía esbozando medias sonrisas, seguía fumando sin encender el cigarrillo, y sus ojos azules brillaban llenos de vida.

Comimos con sus padres en la mesa del comedor. Sándwiches de mantequilla de cacahuete y jalea, y espárragos de la noche anterior. Gus no comió. Le pregunté cómo se encontraba.

—Muy bien —me contestó—. ¿Y tú?

—Bien. ¿Qué hiciste anoche?

—Dormí un montón. Quiero escribirte la segunda parte del libro, Hazel Grace, pero estoy siempre supercansado.

—Puedes contármela —le dije.

—Bueno, mantengo mi anterior análisis sobre el Tulipán Holandés. No es un farsante, pero tampoco tan rico como daba a entender.

—¿Y qué pasa con la madre de Anna?

—Todavía no lo tengo claro. Paciencia, saltamontes.

Augustus sonrió. Sus padres lo miraban en silencio, sin apartar la vista, como si quisieran disfrutar del Show de Gus Waters mientras estuviera en la ciudad.

—A veces sueño con escribir mis memorias. Sería lo ideal para que el público que me adora me recordara.

—¿Para qué necesitas un público que te adore teniéndome a mí? —le pregunté.

—Hazel Grace, cuando se es tan encantador y atractivo como yo, no es difícil seducir a la gente que conoces. Pero conseguir que te quieran extraños… Ese es el punto.

Puse los ojos en blanco.

Después de comer salimos al patio. Todavía podía desplazarse solo en la silla de ruedas y levantar ligeramente las ruedecillas delanteras para subir el pequeño peldaño de la puerta. A pesar de todo, seguía atlético, mantenía el equilibrio, y ni siquiera la gran cantidad de narcóticos podía anular del todo sus rápidos reflejos.

Sus padres se quedaron dentro, pero, cuando eché un vistazo hacia el comedor, vi que no dejaban de mirarnos.

Nos sentamos y nos quedamos en silencio un minuto.

—Algunas veces me gustaría tener los columpios —me dijo por fin Gus.

—¿Los de mi patio?

—Sí. Tengo tanta nostalgia que puedo echar de menos un columpio en el que nunca he sentado el culo.

—La nostalgia es un efecto colateral del cáncer —le dije.

—Qué va. La nostalgia es un efecto colateral de estar muriéndose —me contestó.

El viento soplaba por encima de nuestras cabezas, y las sombras de las ramas se movían sobre nuestra piel. Gus me apretó la mano.

—Me gusta esta vida, Hazel Grace.

Entramos cuando tuvo que administrarse la medicación, que le metían junto con líquido nutritivo por un tubo-G, un trozo de plástico que se introducía en su barriga. Se quedó un rato tranquilo, como ausente. Su madre quería que echara una siesta, pero él empezó a sacudir la cabeza en cuanto se lo propuso, así que dejamos que se quedara un rato medio dormido en la silla.

Sus padres vieron un viejo vídeo de Gus con sus hermanas. Ellas tenían más o menos mi edad, y Gus unos cinco años. Jugaban al baloncesto delante de otra casa, y aunque Gus era muy pequeño, driblaba como si hubiera nacido con ese don y corría alrededor de sus hermanas, que se reían. Era la primera vez que lo veía jugando al baloncesto.

—Era bueno —dije.

—Tendrías que haberlo visto en el instituto —comentó su padre—. El primer año ya empezó en el primer equipo.

—¿Puedo bajar a mi habitación? —murmuró Gus.

Sus padres bajaron la silla de ruedas con Gus sentado en ella, dando grandes botes que habrían sido peligrosos si el peligro no hubiera dejado de ser importante, y después nos dejaron solos. Se metió en la cama, y yo me tumbé con él debajo del edredón, él boca arriba y yo de lado, con la cabeza apoyada en su hombro huesudo, su calor traspasando la camiseta y llegando a mi piel, mis pies enredados con su pie real y mi mano en su mejilla.

Cuando tuve su cara tan pegada a mi nariz que solo le veía los ojos, nunca habría dicho que estaba enfermo. Nos besamos, luego nos quedamos tumbados escuchando el álbum de The Hectic Glow que lleva su mismo nombre, y al final nos quedamos dormidos así, como un entrelazamiento cuántico de tubos y cuerpos.

Cuando nos despertamos, preparamos un ejército de cojines para sentarnos cómodamente contra el cabezal de la cama y jugar a *Contrainsurgencia 2: El precio del amanecer*. Yo era malísima, por supuesto, pero mi torpeza era útil para él, porque así le resultaba más sencillo tener una muerte hermosa, colocarse de un salto ante la bala de un francotirador y sacrificarse por mí o matar a un centinela que estaba a punto de dispararme. Le encantaba salvarme. Gritaba: «¡Hoy no vas a matar a mi novia, terrorista internacional de dudosa nacionalidad!».

Se me pasó por la cabeza fingir que me atragantaba o algo así para que pudiera hacerme la maniobra de Heimlich. Quizá así se libraría del miedo a haber vivido su vida, y haberla perdido, sin una buena causa. Pero luego pensé que quizá no le quedaba fuerza suficiente para hacerme la maniobra, y eso me obligaría a confesar que había sido una treta, con la consiguiente humillación para los dos.

Es jodidamente duro no perder la dignidad cuando el amanecer brilla en tus ojos, que se pierden, y en eso pensaba mientras perseguíamos a los malos entre las ruinas de una ciudad inexistente.

Al final bajó su padre, que trasladó a Gus al piso de arriba, y en la entrada, debajo de un estímulo que me decía que los amigos son para siempre, me arrodillé para darle un beso de buenas noches. Volví a casa a cenar con mis padres y dejé a Gus comiendo (y vomitando) su cena.

Vi la tele un rato y me fui a dormir.

Me desperté.

Hacia las doce del mediodía volví a empezar.

Capítulo 17

Una mañana, un mes después de haber vuelto de Amsterdam, fui a su casa. Sus padres me dijeron que estaba todavía durmiendo en su habitación, así que antes de entrar llamé fuerte a la puerta.

—¿Gus?

Lo encontré murmurando en una lengua incomprensible. Se había meado en la cama. Era espantoso. No me atrevía ni a mirar, la verdad. Llamé a gritos a sus padres, que bajaron, y yo subí al salón mientras lo lavaban.

Cuando volví a bajar, empezaba a despertarse de los narcóticos y regresaba a la cruel realidad. Coloqué las almohadas para que pudiéramos jugar a *Contrainsurgencia* en el colchón sin sábanas, pero estaba tan cansado y ajeno al juego que era casi tan malo como yo, así que nos mataban a los dos a los cinco minutos escasos. Y las muertes no eran heroicas, sino despreocupadas.

La verdad es que no le dije nada. Supongo que prefería que olvidara que yo estaba allí, y esperaba que no recordara que había encontrado al chico al que amaba trastornado en medio de un gran charco de meados. Esperaba que me mirara y me dijera: «Hola, Hazel Grace. ¿Cómo has llegado hasta aquí?».

Pero desgraciadamente lo recordaba.

—Cada minuto que pasa adquiero un conocimiento más profundo de lo que significa la palabra «humillado» —me dijo por fin.

—Yo también me he meado en la cama, Gus, créeme. No es tan grave.

—Antes solías… —añadió, pero se interrumpió para respirar profundamente— llamarme Augustus.

—¿Sabes? —me dijo algo después—, es una niñada, pero siempre pensé que mi esquela aparecería en todos los periódicos que tendría una historia que merecería la pena contar. Siempre tuve la secreta sospecha de que era especial.

—Lo eres —contesté.

—Ya sabes lo que quiero decir.

Sabía lo que quería decir, pero no estaba de acuerdo.

—Me da igual si el *New York Times* me escribe una esquela. Lo único que quiero es que me escribas una tú. Dices que no eres especial porque el mundo no sabe nada de ti, pero decir eso es insultarme. Yo sí sé de ti.

En lugar de disculparse, me dijo:

—No creo que llegue a escribir una esquela para ti.

Me frustraba su actitud.

—Solo quiero ser suficiente para ti, pero nunca lo soy. Nunca puedo ser suficiente para ti. Pero es lo que tienes. Me tienes a mí, tienes a tu familia y este mundo. Esta es tu vida. Lamento que sea una mierda, pero no vas a ser el primer hombre que pisa Marte, ni una estrella de la NBA, ni vas a perseguir a nazis. Mírate a ti mismo, Gus.

No me contestó.

—No pretendo… —empecé a decir.

—Sí, lo pretendes —me interrumpió.

Intenté disculparme.

—No, perdona —me dijo—. Tienes razón. Dejémoslo así y vamos a jugar.

Así que lo dejamos así y jugamos.

Capítulo 18

Me despertó el móvil con una canción de The Hectic Glow, la favorita de Gus. Eso quería decir que estaba llamándome, o que me llamaba alguien desde su teléfono. Miré la hora: las 2.35 de la madrugada. «Se ha muerto», pensé. Todo dentro de mí se desmoronó.

Apenas pude articular un «Hola».

Esperaba oír la voz destrozada de su padre o de su madre.

—Hazel Grace —dijo Augustus con voz débil.

—Uf, menos mal que eres tú... Hola, hola. Te quiero.

—Hazel Grace, estoy en la gasolinera. Tengo problemas. Tienes que ayudarme.

—¿Qué? ¿Dónde estás?

—En la autopista, en la Sesenta y ocho con Ditch. He hecho algo mal con el tubo-G y no puedo...

—Voy a llamar a emergencias —le dije.

—Noooooooooooooo. Me llevarán al hospital. Hazel, escúchame. No llames a emergencias ni a mis padres, no te lo perdonaré en la vida, nó, por favor, ven, solo ven a meterme el puto tubo-G. Solo estoy... mierda, qué estupidez. No quiero que mis padres sepan que he salido de casa. Por favor. Tengo el medicamento. Es solo que no me lo puedo meter. Por favor.

Estaba llorando. Solo lo había oído llorar así el día que volábamos a Amsterdam, cuando nos acercábamos a la puerta de su casa.

—De acuerdo, voy para allá —le dije.

Apagué el BiPAP y me conecté a un tanque de oxígeno, lo metí en el carrito y me puse unos tenis de deporte. Salí con el pantalón de pijama rosa y una camiseta de baloncesto de los Butler que había sido de Gus. Cogí las llaves del coche del cajón la cocina en el que las dejaba mi madre y escribí una nota por si mis padres se despertaban mientras estaba fuera.

> He ido a ver a Gus. Es importante. Perdón.
> Un beso,
>
> *H.*

Mientras recorría los casi cuatro kilómetros hasta la gasolinera, me espabilé lo suficiente para preguntarme por qué Gus había salido de su casa en plena noche. Quizá había tenido alucinaciones o sus fantasías de mártir se habían apoderado de él.

Avancé por la calle Ditch con las luces parpadeando. Iba a toda velocidad en parte para llegar cuanto antes, y en parte también con la esperanza de que un policía me parara y me proporcionara una excusa para contarle a alguien que mi novio moribundo se había quedado atascado junto a una gasolinera con un tubo-G que no funcionaba. Pero no apareció ningún policía dispuesto a tomar una decisión por mí.

En el solar había solo dos coches. Me acerqué al suyo y abrí la puerta. Las luces interiores se encendieron. Augustus estaba sentado en el asiento del conductor, cubierto de vómitos y apretándose con las manos la zona de la barriga de la que se había salido el tubo-G.

—Hola —murmuró.

—Mierda, Augustus, tenemos que ir al hospital.

—Solo echa un vistazo, por favor.

El mal olor me producía arcadas, pero me incliné para examinar la zona en la que le habían colocado el tubo, por encima del ombligo. Tenía la piel del abdomen caliente y muy roja.

—Gus, creo que está infectado. No puedo meterlo. ¿Qué haces aquí? ¿Por qué no estás en casa?

Vomitó. Ni siquiera tuvo fuerzas para girar la cara y que el vómito no le cayera encima.

—Ay, cariño… —le dije.

—Quería comprar un paquete de tabaco —murmuró—. He perdido el que tenía, o me lo han quitado. No lo sé. Me dijeron que me traerían otro, pero quería… hacerlo yo mismo. Hacer algo tan simple por mí mismo.

Augustus miraba al frente. Saqué el móvil sin decir nada y marqué el número de emergencias.

—Lo siento —le dije.

—Emergencias. ¿Qué le sucede?

—Hola. Estoy en la autopista, en la Ochenta y seis con Ditch. Necesito una ambulancia. El amor de mi vida tiene problemas con un tubo-G.

Levantó los ojos hacia mí. Era horrible. Apenas podía mirarlo. El Augustus Waters de las sonrisas torcidas y los cigarrillos sin encender había desaparecido, y en su lugar estaba aquella criatura desesperada y humillada.

—Se acabó. Ni siquiera puedo no fumar.

—Gus, te quiero.

—¿Qué posibilidades tengo de ser el Peter van Houten de alguien?

Dio un débil golpe al volante, y el sonido del claxon se unió a su llanto. Inclinó la cabeza hacia atrás y miró hacia arriba.

—Me odio, me odio, odio esta mierda, la odio, me doy asco, lo odio, lo odio, lo odio, dejen que me muera de una puta vez.

Según las convenciones del género, Augustus Waters conservó su sentido del humor hasta el final, ni por un segundo renunció a su valor, y su espíritu se elevó como un águila indomable hasta que el mundo no pudo albergar su feliz alma.

Pero la verdad fue que Augustus se convirtió en un chico digno de lástima que quería desesperadamente no dar lástima, que gritaba y lloraba, envenenado por un tubo-G infecto que lo mantenía vivo, pero no lo suficiente.

Le limpié la barbilla, le cogí la cara con las dos manos y me arrodillé a su lado para verle los ojos, que todavía estaban vivos.

—Lo siento. Me gustaría que fuera como en aquella película de persas y espartanos.

—A mí también —me contestó.

—Pero no lo es —le dije.

—Lo sé.

—No hay malos.

—Ya.

—Ni siquiera el cáncer es malo. El cáncer sencillamente quiere vivir.

—Sí.

—Estás bien —le dije.

Oía las sirenas.

—Sí.

Empezaba a perder la conciencia.

—Gus, tienes que prometerme que no volverás a hacerlo. Iré yo a buscarte el tabaco, ¿de acuerdo?

Me miró. Los ojos le bailaban en las órbitas.

—Tienes que prometérmelo.

Asintió débilmente. Cabeceaba y se le cerraban los ojos.

—Gus —le dije—, quédate conmigo.

—Léeme algo —me dijo mientras la puta ambulancia pasaba de largo aullando.

Mientras esperaba a que diera la vuelta y llegara hasta nosotros, le recité el único poema que pude recordar, «La carretilla roja», de William Carlos Williams:

tanto depende
de

una carretilla
de ruedas rojas

bruñida por el agua
de la lluvia

junto a los blancos
polluelos.

Williams era médico. Me pareció un poema de médico. Cuando lo terminé, la ambulancia seguía alejándose de nosotros, de modo que continué escribiéndolo.

—«Y tanto depende —le dije a Augustus— de un cielo azul rasgado por las ramas de los árboles. Tanto depende del transparente tubo-G que sale despedido de la barriga del chico de labios azules. Tanto depende de mí, que observo el universo.»

Medio consciente, me miró.

—Luego dices que no escribes poesía… —murmuró.

Capítulo 19

Volvió a casa unos días después, privado por fin, e irrevocablemente, de sus aspiraciones. Necesitaba más medicación para mitigar el dolor. Se trasladaba cada dos por tres al piso de arriba, a una camilla que habían colocado junto a la ventana del salón.

Fueron días de pijama y barba desastrada, de farfullar, pedir y dar constantemente las gracias a todo el mundo por lo que estaban haciendo por él. Una tarde señaló distraídamente la cesta de la ropa sucia, que estaba en un rincón de la sala.

—¿Qué es eso? —me preguntó.

—¿La cesta de la ropa?

—No, al lado.

—No veo nada.

—Es mi último trozo de dignidad. Es muy pequeño.

Al día siguiente entré en su casa sin llamar. No les gustaba que llamara al timbre porque podía despertarlo. Estaban sus hermanas con sus maridos banqueros y tres hijos, todos niños, que corrieron hacia mí gritando «quién eres, quién eres, quién eres» y dieron vueltas por el vestíbulo como si la capacidad pulmonar fuera un recurso renovable. Ya conocía a las hermanas, pero no a sus hijos y a sus maridos.

—Soy Hazel —dije.

—Gus tiene novia —dijo un niño.

—Ya sé que Gus tiene novia —le contesté.

—Tiene tetas —añadió otro.

—¿De verdad?

—¿Por qué llevas eso? —preguntó el primero señalando el carrito del oxígeno.

—Me ayuda a respirar —le contesté—. ¿Gus está despierto?

—No, está durmiendo.

—Esta muriéndose —contestó otro niño.

—Está muriéndose —confirmó el tercero, que de repente se puso muy serio.

Por un momento nos quedamos todos en silencio. Me preguntaba qué se suponía que tenía que decir, pero un niño le dio una patada a otro y salieron corriendo, tirándose uno encima de otro en dirección a la cocina.

Me acerqué a los padres de Gus, que estaban en el salón, y me presentaron a los cuñados, Chris y Dave.

Aunque apenas había hablado con sus dos hermanastras, ambas me abrazaron. Julie estaba sentada en el borde de la cama, hablando a un Gus dormido exactamente con el mismo tono al que uno recurriría para decirle a un niño que es muy lindo.

—Ay, Gussy Gussy, nuestro pequeño Gussy Gussy.

¿Nuestro Gussy? ¿Se lo habían comprado?

—¿Qué pasa, Augustus? —le dije intentando comportarme como era debido.

—Nuestro guapo Gussy —dijo Martha inclinándose hacia él.

Empecé a preguntarme si estaba de verdad dormido o si sencillamente había apretado con fuerza la bomba de infusión para el dolor para evitar el ataque de sus bienintencionadas hermanas.

Se despertó un rato después y lo primero que dijo fue «Hazel», lo que admito que me alegró mucho, como si también yo formara parte de su familia.

—Fuera —me dijo en voz baja—. ¿Podemos salir?

Salimos. Su madre empujó la silla de ruedas, y las hermanas, los cuñados, el padre, los sobrinos y yo los seguimos. Era un día con nubes, tranquilo y cálido, típico del verano. Gus llevaba una camiseta de manga larga azul marino y un pantalón de chándal. Por alguna razón siempre tenía frío. Pidió un poco de agua, y su padre fue a buscarle un vaso.

Martha intentó hacer hablar a Gus. Se arrodilló a su lado.

—Siempre has tenido unos ojos preciosos —le dijo.

Gus asintió ligeramente.

Uno de los maridos pasó un brazo por los hombros de Gus.

—¿Qué tal te sienta el aire fresco? —le preguntó.

Gus se encogió de hombros.

—¿Quieres medicamentos? —le preguntó su madre uniéndose al corro de los arrodillados.

Di un paso atrás y observé a los sobrinos destrozando un macizo de flores de camino a la pequeña zona de césped del patio de Gus. Inmediatamente empezaron a jugar a un juego que consistía en tirarse uno a otro al suelo.

—¡Niños! —gritó Julie sin prestarles demasiada atención. Luego se giró hacia Gus y le dijo—: Lo único que espero es que lleguen a ser tan atentos e inteligentes como tú.

Reprimí las ganas de vomitar.

—No es tan inteligente —le dije a Julie.

—Tiene razón —dijo Gus—. Lo que pasa es que casi todos los guapos son idiotas, así que supero las expectativas.

—Exacto. Lo principal es que está bueno —dije.

—Estoy tan bueno que puedo resultar cegador —añadió Gus.

—De hecho dejó ciego a nuestro amigo Isaac —dije yo.

—Una terrible tragedia, pero ¿puedo evitar mi mortífera belleza?

—No.

—Cargo con esta cara bonita.

—Por no hablar de tu cuerpo.

—En serio, no me obliguen a hablar de mi cuerpazo. Dave, mejor que no me veas desnudo. Verme desnudo quitó la respiración a Hazel —dijo señalando con la cabeza el tanque de oxígeno.

—Basta —contestó el padre de Gus.

Y después, sin que viniera a cuento, su padre me pasó un brazo por los hombros y me dio un beso en la cabeza.

—Doy gracias a Dios por ti cada día, niña —susurró.

Aun así, fue el último día bueno que pasé con Gus hasta el Último Día Bueno.

Capítulo 20

Una de las convenciones menos idiotas del género cáncer juvenil es la del Último Día Bueno, el día en que la víctima de cáncer goza de unas inesperadas horas porque parece que el inexorable declive se ha estancado de repente y por un momento puede soportar el dolor. El problema, claro, es que no hay manera de saber si tu último día bueno es tu Último Día Bueno. En esos momentos no es más que otro día bueno.

Un día no fui a visitar a Augustus porque no me encontraba muy bien. Nada serio, solo estaba cansada. Aquel día no hice nada en especial, y poco después de las cinco de la tarde, cuando Augustus me llamó, estaba ya conectada al BiPAP, que habíamos trasladado al comedor para que pudiera ver la tele con mis padres.

—Hola, Augustus —le saludé.

Me contestó con el tono de voz que me chiflaba.

—Buenas tardes, Hazel Grace. ¿Crees que podrías estar en el corazón de Jesús literal hacia las ocho?

—Supongo —le contesté.

—Perfecto. Otra cosa: si no es mucho pedir, prepara un discurso fúnebre, por favor.

—Uf —le dije.

—Te quiero —me dijo.

—Y yo a ti —le contesté.

Colgó.

—Tengo que ir al grupo de apoyo a las ocho —dije a mis padres—. Sesión de emergencia.

Mi madre quitó el volumen a la tele.

—¿Pasa algo?

La miré un segundo alzando las cejas.

—Entiendo que es una pregunta retórica —le contesté.

—Pero por qué…

—Porque por alguna razón Gus me necesita. No hay problema. Puedo conducir.

Toqueteé el BiPAP para que mi madre me ayudara a quitármelo, pero no lo hizo.

—Hazel —me dijo—, a tu padre y a mí nos da la sensación de que ya apenas te vemos.

—Sobre todo yo, que me paso el día trabajando —añadió mi padre.

—Me necesita —les contesté quitándome el BiPAP yo misma.

—Nosotros también te necesitamos, cariño —me respondió mi padre.

Me cogió por la muñeca, como si fuera una niña de dos años a punto de salir corriendo a la calle, y me mantuvo sujeta.

—Bueno, agarra un cáncer terminal, papá, y entonces pasaré más tiempo en casa.

—Hazel —dijo mi madre.

—Eran ustedes los que no querían que me pasara el día en casa —respondí.

Mi padre seguía agarrándome del brazo.

—Y ahora quieren que se muera de una vez para que vuelva a encerrarme en casa y los deje cuidarme como siempre. Pero no lo necesito, mamá. No te necesito como antes. Eres tú la que necesita tener una vida propia.

—¡Hazel! —exclamó mi padre apretándome todavía más la muñeca—. Pídele perdón a tu madre.

Yo tiraba del brazo, pero mi padre no me soltaba, y no podía coger el tubo con una sola mano. Era desquiciante. Lo único que quería era rebelarme, salir con paso decidido del comedor, cerrar mi habitación de un portazo, poner The Hectic Glow y escribir frenéticamente un discurso. Pero no podía porque no podía respirar, maldita sea.

—El tubo —protesté—. Lo necesito.

Mi padre me soltó inmediatamente y corrió a conectarme al oxígeno. Veía en sus ojos que se sentía culpable, pero seguía enfadado.

—Hazel, pídele perdón a tu madre.

—Muy bien, perdón. Pero déjenme, por favor.

No dijeron nada. Mi madre se quedó sentada con los brazos cruzados, sin mirarme siquiera. Me levanté y me fui a mi habitación a escribir sobre Augustus.

Mis padres llamaron varias veces a la puerta, pero les contesté que estaba haciendo algo importante. Tardé muchísimo en decidir lo que quería decir, y ni siquiera entonces me quedé contenta. Justo antes de terminar me di cuenta de que eran las ocho menos veinte, lo cual quería decir que llegaría tarde aunque no me cambiara de ropa, así que al final me quedé con el pantalón de pijama azul celeste, las zapatillas y la camiseta del Butler de Gus.

Salí de mi habitación e intenté pasar por delante de ellos.

—No puedes salir de casa sin permiso —me dijo mi padre.

—Dios, papá. Me ha pedido que le escribiera un discurso fúnebre, ¿vale? Muy pronto me quedaré en casa cada puta noche, ¿vale?

Al final se callaron.

Necesité todo el trayecto para tranquilizarme. Me metí por la parte de atrás de la iglesia y aparqué en el camino, detrás del coche de Augustus. Alguien había dejado una piedra delante de la puerta trasera de la iglesia para que no se cerrara. Una vez dentro, me planteé bajar por las escaleras, pero decidí esperar el viejo y chirriante ascensor.

Abrí las puertas del ascensor y llegué a la sala del grupo de apoyo, donde las sillas seguían formando un arrume. Pero esta vez vi solo a Gus en su silla de ruedas, delgadísimo. Me miraba desde el centro del arrume. Había estado esperando a que se abrieran las puertas del ascensor.

—Hazel Grace, estás de muerte —me dijo.

—Ya lo sé, ¿vale?

Oí pasos en un rincón oscuro de la sala. Isaac estaba detrás de un pequeño atril de madera, al que se aferraba.

—¿Quieres sentarte? —le pregunté.

—No. Voy a dar mi discurso. Llegas tarde.

—¿Vas a qué?

Gus me indicó con un gesto que me sentara. Acerqué una silla al centro del arrume, a su lado, y él giró la silla de ruedas para colocarse frente a Isaac.

—Quiero asistir a mi funeral —dijo Gus—. Por cierto, ¿hablarás en mi funeral?

—Bueno… sí, claro —le contesté apoyando la cabeza en su hombro.

Estiré los brazos y lo rodeé, a él y la silla de ruedas. Hizo una mueca de dolor y lo solté.

—Estupendo —me dijo—. Espero asistir en espíritu, pero, para asegurarme, había pensado… en fin, no ponerte en ese aprieto, pero esta tarde se me ha ocurrido organizar un prefuneral, y como estoy relativamente animado, supongo que es el mejor momento.

—¿Cómo has llegado hasta aquí? —le pregunté.

—¿Te lo creerías si te digo que dejan la puerta abierta toda la noche? —me preguntó Gus.

—Pues no —le contesté.

—Haces bien —me dijo Gus sonriendo—. Bueno, sé que es un poco grandilocuente…

—Oye, estás pisándome el discurso —lo interrumpió Isaac—. Lo primero que digo de ti es que eras un cabrón grandilocuente.

Me reí.

—Vale, vale —dijo Gus—. Cuando quieras.

Isaac carraspeó.

—Augustus Waters era un cabrón grandilocuente, pero se lo perdonamos. Se lo perdonamos no porque tuviera un corazón tan metafóricamente bueno como literalmente asqueroso, ni porque supiera coger los cigarros mejor que ningún no fumador de la historia, ni porque llegara a los dieciocho años cuando debería haber cumplido más.

—Diecisiete —lo corrigió Gus.

—Estoy dando por sentado que te queda algo de tiempo. Y no me interrumpas, cabrón.

—Les aseguro —siguió diciendo Isaac— que a Augustus Waters le gustaba tanto hablar que los interrumpiría en su propio funeral. Y era un pedante. El tipo era incapaz de mear sin plantearse las enormes connotaciones metafóricas de la producción de excrementos. Y era un creído. Creo que nunca he conocido a nadie tan atractivo físicamente que fuera tan consciente de su atractivo físico.

»Pero tengo que decir algo: cuando los científicos del futuro se presenten en mi casa con ojos robot y me pidan que los pruebe, les contestaré que se vayan a la mierda, porque no quiero ver un mundo sin él.

A esas alturas yo ya estaba llorando.

—Y después, una vez hecho mi gesto retórico, me pondría los ojos robot, porque, bueno, con esos ojos seguramente se podrá traspasar la ropa de las chicas, y esas cosas. Augustus, amigo mío, buen viaje.

Augustus asintió varias veces, con los labios apretados, y después levantó el pulgar en dirección a Isaac.

—Yo eliminaría eso de traspasar la ropa de las chicas —dijo tras recuperar la compostura.

Isaac, que seguía aferrado al atril, empezó a llorar. Apoyó la frente contra el podio y vi que le temblaban los hombros.

—Joder, Augustus, tienes que corregir hasta los discursos de tu funeral —dijo por fin.

—No digas groserías en el corazón de Jesús literal —le contestó Gus.

—Joder —repitió Isaac.

Levantó la cabeza y tragó saliva.

—Hazel, ¿puedes echarme una mano?

Yo había olvidado que no podía volver al arrume solo. Me levanté, le coloqué la mano en mi brazo y lo llevé despacio hasta la silla en la que me había sentado yo, al lado de Gus. Luego me dirigí al podio y desdoblé la hoja de papel en la que había imprimido mi discurso.

—Me llamo Hazel. Augustus Waters fue el fugaz gran amor de mi vida. La nuestra fue una historia de amor épica, y no profundizaré más en el tema para no hundirme en un mar de lágrimas. Gus lo sabía. Gus lo sabe. No voy a contarles nuestra historia de amor porque, como todas las historias de amor reales, morirá con nosotros, como debe ser. Esperaba que él me hiciera un discurso fúnebre a mí, porque nadie podría habérmelo hecho mejor…

Empecé a llorar.

—Bueno, ¿cómo no voy llorar? ¿Por qué estoy…? Bien, bien.

Tomé aire y volví a la página.

—No puedo hablar de nuestra historia de amor, así que hablaré de matemáticas. No soy matemática, pero de algo estoy segura: entre el 0 y el 1 hay infinitos números. Están el 0,1, el 0,12, el 0,112 y toda una infinita colección de otros números. Por supuesto, entre el 0 y el 2 también hay una serie de números infinita, pero mayor, y entre el 0 y un millón. Hay infinitos más grandes que otros. Nos lo enseñó un escritor que nos gustaba. En estos días, a menudo siento que me fastidia que mi serie infinita sea tan breve. Quiero más números de los que seguramente obtendré, y quiero más números para Augustus de los que obtuvo. Pero, Gus, amor mío, no puedo expresar lo mucho que te agradezco nuestro pequeño infinito. No lo cambiaría por el mundo entero. Me has dado una eternidad en esos días contados, y te doy las gracias.

Capítulo 21

Augustus Waters murió ocho días después de su prefuneral, en la UCI del Memorial, donde el cáncer, que formaba parte de él, acabó parándole el corazón, que también formaba parte de él.

Estaba con sus padres y sus hermanas. Su madre me llamó a las tres y media de la madrugada. Supe que había muerto, por supuesto. Antes de irme a la cama había hablado con su padre, que me dijo que podía ser aquella noche, pero aun así, cuando cogí el teléfono de la mesita y vi «Madre de Gus» en la pantalla, me derrumbé. Ella lloraba al otro lado de la línea, me dijo que lo sentía, y yo también le dije que lo sentía, y me contó que había estado inconsciente un par de horas antes de morir.

Mis padres entraron en mi habitación y se quedaron mirándome expectantes. Me limité a asentir y se abrazaron, seguro que presintiendo el terror que acabaría llegándoles también a ellos.

Llamé a Isaac, que se cagó en la vida, en el mundo entero y hasta en Dios, y gritó que dónde estaban los putos trofeos cuando los necesitabas. Luego me di cuenta de que no tenía a nadie más a quien llamar, y eso fue lo más triste. La única persona con la que realmente quería hablar sobre la muerte de Augustus Waters era Augustus Waters.

Mis padres se quedaron en mi habitación hasta que amaneció. Al final mi padre me preguntó:

—¿Quieres estar sola?

Asentí.

—Estaremos al lado de la puerta —dijo mi madre.

«No tengo la menor duda», pensé.

Era totalmente insoportable, cada segundo peor que el anterior. Pensaba en llamarlo y me preguntaba qué pasaría, si respondería alguien. En las últimas semanas nos habíamos visto obligados a pasar nuestro tiempo juntos recordando, que no era poco. Había perdido el placer de recordar porque ya no tenía a nadie con quien recordar. Era como si perder a la persona que recuerda contigo implicara perder los recuerdos en sí, como si lo que habíamos hecho fuese menos real y menos importante de lo que lo había sido horas antes.

Cuando entras en urgencias, una de las primeras cosas que te piden es que puntúes tu dolor en una escala del uno al diez, y a partir de ahí deciden qué medicación administrarte y con qué frecuencia. Me lo habían preguntado cientos de veces en los últimos años, y recuerdo una vez, al principio, en que no podía respirar y sentía que el pecho me ardía, que las llamas me devoraban por dentro de las costillas intentando salir de mi cuerpo, y mis padres me llevaron a urgencias. Una enfermera me preguntó por el dolor, y como ni siquiera podía hablar, le mostré nueve dedos.

Más tarde, cuando ya me habían dado algo, entró la enfermera.

—¿Sabes por qué sé que eres una luchadora? —me preguntó dándome golpecitos en la mano mientras me tomaba la presión—. Porque has dicho nueve, cuando era diez.

Pero no era del todo cierto. Había dicho nueve porque quería reservarme el diez. Y ahí estaba, el gran y terrible diez, golpeándome una y otra vez mientras, tumbada en la cama, inmóvil y sola, miraba el techo fijamente, y las olas me lanzaban contra las rocas y volvían a arrastrarme hacia el mar para poder lanzarme otra vez contra el recortado acantilado, y me dejaban flotando boca arriba en el agua, sin ahogarme.

Al final lo llamé. Su teléfono sonó cinco veces y después salió la voz del contestador. «Este es el contestador de Augustus Waters», dijo la voz que me chiflaba. «Deja tu mensaje.» Sonó el pitido. El silencio mortal de la línea me sobrecogió. Solo quería volver con él a aquel secreto lugar posterrenal al que nos trasladábamos cuando hablábamos por teléfono. Esperé a que llegara esa sensación, pero no llegó. El silencio mortal de la línea me incomodaba, así que al final colgué.

Cogí el portátil de debajo de la cama, lo encendí y entré en su muro, donde habían empezado ya a aparecer las condolencias. La más reciente decía:

> Te quiero, amigo. Nos vemos en la otra orilla.

La había escrito alguien de quien nunca había oído hablar. En realidad, todas las entradas del muro, que llegaban tan seguidas que apenas tenía tiempo de leerlas, las escribía gente a la que no conocía y de la que Gus nunca me había hablado, personas que ensalzaban sus virtudes ahora que había muerto, aunque sabía a ciencia cierta que no lo habían visto desde hacía meses y que no habían hecho el menor esfuerzo por ir a visitarlo. Me preguntaba si mi muro sería así si me moría, o si había estado fuera de la escuela y de la vida el tiempo suficiente para librarme de las conmemoraciones generales.

Seguí leyendo.

> Ya te echo de menos, amigo.
>
> Te quiero, Augustus. Dios te bendiga y te tenga en su gloria.
>
> Vivirás para siempre en nuestro corazón, grandullón.

(Esta última me cabreó especialmente, porque implicaba que lo que queda atrás es inmortal: vivirás para siempre en mi recuerdo porque yo viviré para siempre. AHORA SOY TU DIOS, CHICO MUERTO. ME PERTENECES. Pero pensar que no vas a morirte es otro efecto colateral de estar muriéndose.)

> Siempre fuiste un gran amigo. Lamento no haberte visto desde que dejaste la escuela. Apuesto a que ya estás jugando al básquet en el cielo.

Imaginé cómo analizaría Augustus Waters este comentario: si estoy jugando al baloncesto en el cielo, ¿implica eso un cielo físico que contiene pelotas de baloncesto físicas? ¿Quién fabrica las pelotas en cuestión? ¿Hay en el cielo almas menos afortunadas que trabajan en una fábrica celestial para que yo pueda jugar? ¿O acaso un Dios omnipotente crea las pelotas de la nada? ¿Está ese cielo en una especie de universo imperceptible en el que no se aplican las leyes físicas? Y en ese caso, ¿por qué cojones iba a jugar al baloncesto cuando podría volar, leer, mirar a gente guapa o cualquier otra cosa que de verdad me divierte? Es casi como si la manera de imaginar mi muerte dijera por sí misma más de ti que de la persona que era yo o de lo que sea que soy ahora.

Sus padres me llamaron hacia las doce del mediodía para decirme que el funeral sería cinco días después, el sábado. Imaginé una iglesia llena de gente que pensaba que a Gus le gustaba el baloncesto y me dieron ganas de vomitar, pero sabía que tenía que ir, porque tenía que hablar y todo eso. Cuando colgué, seguí leyendo su muro.

> Acabo de enterarme de que Gus Waters ha muerto tras una larga batalla contra el cáncer. Descansa en paz, amigo.

Sabía que toda aquella gente estaba de verdad triste y que en realidad yo no estaba enfadada con ellos. Estaba enfadada con el universo. Aun así, me sacaba de quicio. Te llegan todos esos amigos justo cuando ya no necesitas amigos. Contesté a este último post.

> Vivimos en un universo que se dedica a crear, y a erradicar, la conciencia. Augustus Waters no ha muerto tras una larga bata-

lla contra el cáncer. Ha muerto tras una larga batalla contra la inconsciencia humana, víctima —como lo serán ustedes— de la necesidad del universo de hacer y deshacer todo lo posible.

Lo colgué y esperé a que alguien respondiera. Refresqué la página una y otra vez. Nada. Mi comentario se perdió en la tormenta de nuevos posts. Todo el mundo iba a echarlo mucho de menos. Todo el mundo rezaba por su familia. Recordé la carta de Van Houten: «Escribir no resucita. Entierra».

Al rato salí al comedor y me senté con mis padres a ver la tele, no sabría decir qué programa. En algún momento mi madre me dijo:

—Hazel, ¿qué podemos hacer por ti?

Sacudí la cabeza y empecé a llorar otra vez.

—¿Qué podemos hacer? —volvió a preguntarme mi madre.

Me encogí de hombros.

Pero ella siguió preguntando, como si hubiera algo que pudiera hacer, hasta que al final me arrastré por el sofá hasta su regazo, mi padre se acercó y me abrazó muy fuerte las piernas, yo abracé a mi madre por la cintura, y me sujetaron durante horas mientras subía la marea.

Capítulo 22

Cuando llegamos, me senté al fondo de la sala de visita, una pequeña habitación de paredes de piedra a un lado del santuario de la iglesia del corazón de Jesús literal. Había unas ochenta sillas en la sala, llena en dos terceras partes, pero que parecía una tercera parte vacía.

Observé un rato a la gente que se acercaba al ataúd, que estaba sobre una especie de carro cubierto con un mantel violeta. Todas aquellas personas a las que nunca había visto antes se arrodillaban junto a él o se quedaban de pie a un lado y lo miraban un instante, quizá lloraban, quizá decían algo, y luego todas ellas tocaban el ataúd en lugar de tocarlo a él, porque nadie quiere tocar a un muerto.

Los padres de Gus estaban de pie junto al ataúd, abrazando a todos a medida que pasaban, pero, cuando me vieron, sonrieron y se acercaron a mí. Me levanté y abracé primero a su padre y después a su madre, que me presionó muy fuerte, como solía hacer Gus, y me aplastó los omóplatos. Los dos parecían muy viejos, con los ojos hundidos y la piel de sus agotados rostros flácida. También ellos habían llegado a la meta de una carrera de vallas.

—Te quería mucho —me dijo la madre de Gus—. De verdad. No era... No era un amor adolescente ni nada de eso —añadió, como si yo no lo supiera.

—A ustedes también los quería mucho —contesté en voz baja.

Es difícil de explicar, pero sentía que hablar con ellos era como dar una puñalada y recibirla.

—Lo siento —añadí.

Luego sus padres se pusieron a hablar con los míos, una conversación llena de movimientos de cabeza y labios apretados. Miré hacia el ataúd y vi que no había nadie, así que decidí acercarme. Me saqué el tubo de oxígeno de la nariz, lo alcé por encima de mi cabeza y se lo pasé a mi padre. Quería que estuviéramos él y yo solos. Cogí el bolso y me dirigí al improvisado altar, entre las filas de sillas.

El camino se me hizo largo, pero decía a mis pulmones que se callaran, que eran fuertes y que podían. Al acercarme, lo vi. Le habían colocado el pelo hacia la izquierda, un peinado que a él le habría parecido absolutamente espantoso, y tenía la cara como plastificada. Pero seguía siendo Gus. Mi larguirucho y guapo Gus.

Habría querido ponerme el vestido negro que me había comprado para la fiesta de mi decimoquinto cumpleaños, mi vestido de muerta, pero ya no me cabía, así que me puse un sencillo vestido negro hasta las rodillas. Augustus llevaba el mismo traje de solapas estrechas que se había puesto para ir al Oranjee.

Mientras me arrodillaba me di cuenta de que le habían cerrado los ojos —por supuesto— y que nunca volvería a ver sus ojos azules.

—Te quiero en presente —susurré, y poniéndole la mano en el pecho le dije—: Está bien, Gus. Está bien. De verdad. Está bien, ¿me oyes?

No tenía —ni tengo— la menor confianza en que me oyera. Me incliné y lo besé en la mejilla.

—Bien —añadí—. Bien.

De pronto fui consciente de que había mucha gente mirándonos, de que la última vez que tanta gente nos había visto besándonos había sido en la casa de Ana Frank. Aunque, hablando con propiedad, ya no había un nosotros al que mirar. Solo un yo.

Abrí el bolso, metí la mano y saqué un paquete de Camel Lights. En un movimiento rápido que esperaba que nadie notara, lo camuflé entre su costado y el forro de fieltro plateado del ataúd.

—Estos puedes encenderlos —le susurré—. No me importa.

Mientras hablaba con él, mis padres se desplazaron hasta la segunda fila con el tanque para que no tuviera que andar tanto. Me senté. Mi padre me ofreció un pañuelo, me soné, me pasé los tubos por encima de las orejas y me los metí en la nariz.

Pensaba que entraríamos en la capilla para el funeral, pero nos quedamos en aquella pequeña sala lateral, la mano de Jesús literal, supongo, la parte de la cruz a la que lo habían clavado. Un pastor se acercó al ataúd, se situó detrás, como si el ataúd fuera un púlpito o algo así, y habló un momento sobre la valiente batalla de Augustus y sobre que su heroísmo frente a la enfermedad era una inspiración para todos nosotros. Estaba ya empezando a cabrearme con el pastor cuando dijo: «En el cielo, Augustus estará por fin sano y completo», con lo que venía a decir que, como le faltaba una pierna, había sido menos completo que los demás. No pude reprimir un gesto de asco. Mi padre me agarró de la pierna, por encima de la rodilla, y me lanzó una mirada de reproche, pero desde la fila de atrás alguien murmuró en mi oído en voz casi inaudible:

—Menuda sarta de estupideces, ¿verdad?

Me giré.

Peter van Houten llevaba un traje blanco de lino a la medida de su redondez, una camisa azul pastel y una corbata verde. Parecía haberse vestido para participar en la ocupación colonial de Panamá, no para un funeral. El pastor dijo: «Recemos», pero mientras todos los demás inclinaban la cabeza, yo solo pude mirar con la boca abierta a Peter van Houten.

—Vamos a fingir que rezamos —dijo un momento después.

E inclinó la cabeza.

Intenté olvidarme de él y rezar por Augustus. Me dediqué a escuchar al pastor sin girarme.

El pastor llamó a Isaac, que estaba mucho más serio que en el prefuneral.

—Augustus Waters era el alcalde de la secreta ciudad de Cancerlandia, y es insustituible —empezó a decir Isaac—. Otros les contarán historias divertidas sobre Gus, porque era un tipo divertido, así que permitan que yo les cuente algo serio: un día después de que me quitaran el ojo, Gus apareció por el hospital. Yo estaba ciego y destrozado, de modo que no quería hacer nada. Gus entró corriendo en mi habitación y gritó: «¡Tengo una buena noticia!». Yo le dije: «Ahora mismo no me interesa oír ninguna buena noticia». Y Gus me dijo: «Esta sí que quieres oírla». «Muy bien, ¿qué pasa?», le pregunté. Y me contestó: «Vas a vivir una larga y estupenda vida llena de grandes y terribles momentos que ni siquiera puedes imaginar».

Isaac no pudo seguir, o quizá era todo lo que había escrito.

Después de que un compañero del instituto contara varias historias sobre el gran talento de Gus para el baloncesto y sus muchas cualidades como compañero de equipo, el pastor dijo:

—Ahora nos dirá unas palabras Hazel, la amiga especial de Augustus.

¿«Amiga especial»? Se oyeron risitas ahogadas, así que pensé que no había problema en empezar diciéndole al pastor:

—Yo era su novia.

Lo cual provocó carcajadas.

Y a continuación empecé a leer el discurso que había escrito.

—En casa de Gus hay un dibujo con una gran frase, una frase que tanto a él como a mí nos parecía muy reconfortante: «Sin dolor, ¿cómo conoceríamos el placer?».

Seguí soltando estímulos de mierda mientras los padres de Gus, cogidos del brazo, se abrazaban y asentían a cada palabra mía. Había decidido que los funerales son para los vivos.

Después del discurso de su hermana Julie, la ceremonia terminó con una oración sobre la unión de Gus con Dios. Volví a pensar en lo que me había dicho en el Oranjee, que no creía en mansiones ni en arpas, pero sí en Algo con A mayúscula, de modo que mientras rezábamos intenté imaginarlo en Algún Lugar con A y L mayúsculas, pero ni siquiera entonces pude convencerme de que volveríamos a estar juntos. Conocía ya a demasiados muertos. Sabía que en adelante el tiempo pasaría para mí de diferente manera que para él, que yo, como todos en aquella sala, continuaría acumulando amores y pérdidas, pero él no. Y para mí aquella era la auténtica e insoportable tragedia final: como todo el sinfín de muertos, Gus había descendido de una vez para siempre de visitado a visitante.

Luego un cuñado de Gus trajo un radiocasete y pusieron una canción que había elegido Gus, una balada triste de The Hectic Glow llamada «The New Partner». Sinceramente, solo quería irme a mi casa. Apenas conocía a nadie, y sentía los ojos pequeños de Peter van Houten taladrándome los omóplatos desnudos, pero, en cuanto terminó la canción, todo el mundo se acercó a mí para decirme que mi discurso había sido muy bonito y que la ceremonia había sido encantadora, lo cual era falso. Fue un funeral. Un funeral como cualquier otro.

Los que iban a llevar el féretro —primos, su padre, un tío y un amigo a los que nunca había visto— se acercaron, lo levantaron y se dirigieron al coche fúnebre.

—No quiero ir. Estoy cansada —dije a mis padres cuando nos metimos en nuestro coche.

—Hazel —me dijo mi madre.

—Mamá, no habrá sitio para sentarse, durará una eternidad y estoy agotada.

—Hazel, tenemos que ir por el señor y la señora Waters —me dijo.

—Pero…

Por alguna razón me sentía muy pequeña en el asiento de atrás. Y quería ser pequeña. Quería tener seis años, o algo así.

—De acuerdo —dije.

Pasé un rato con los ojos clavados en la ventanilla. Realmente no quería ir. No quería ver cómo lo metían en la tierra, en la parcela que él mismo había elegido con su padre, y no quería ver a sus padres cayendo de rodillas sobre la hierba húmeda de rocío y gimiendo de dolor, y no quería ver la alcohólica barriga de Peter van Houten aplastada bajo su americana de lino, y no quería llorar delante de un montón de gente, y no quería lanzar un puñado de tierra en su tumba, y no quería que mis padres tuvieran que estar ahí, bajo el claro cielo azul con luz vespertina, pensando en su día, su hija, mi parcela, mi ataúd y mi tierra.

Pero lo hice. Hice todo eso y más, porque mis padres creían que teníamos que hacerlo.

Cuando hubo terminado, Van Houten se acercó a mí y apoyó su mano fofa en mi hombro.

—¿Pueden llevarme? —me preguntó—. He dejado el coche de alquiler al pie de la colina.

Me encogí de hombros. Él abrió la puerta del asiento trasero justo cuando mi padre desbloqueaba el coche.

—Peter van Houten, novelista emérito y desilusionador semiprofesional —dijo inclinándose hacia los asientos delanteros.

Mis padres se presentaron y le estrecharon la mano. Me sorprendió mucho que Peter van Houten hubiera sobrevolado medio mundo para asistir al funeral.

—¿Cómo se ha...? —empecé a preguntarle, pero me cortó.

—He utilizado vuestra infernal internet para consultar las esquelas necrológicas de Indianápolis.

Metió la mano en el traje de lino y sacó una botella pequeña de whisky.

—Así que sencillamente ha comprado un billete y...

Volvió a interrumpirme mientras desenroscaba el tapón de la botella.

—Quince mil dólares por un billete de primera clase, pero tengo suficiente dinero para permitirme estos caprichos. Y en primera clase las bebidas son gratis. Si te das prisa, casi te compensa.

Van Houten dio un trago y se inclinó hacia delante para ofrecerle la botella a mi padre.

—No, gracias —le dijo.

Entonces me ofreció la botella a mí. La cogí.

—Hazel —protestó mi madre.

Pero di un sorbo, que hizo que sintiera el estómago como los pulmones. Le devolví la botella a Van Houten, que dio un largo trago.

—En fin. *Omnis cellula e cellula.*

—¿Cómo?

—Tu Waters y yo nos escribíamos de vez en cuando, y en su última...

—Un momento. ¿Ahora lee las cartas de sus admiradores?

—No. Me escribía a mi casa, no a la editorial. Y difícilmente podría llamarlo admirador. Me despreciaba profundamente. Pero, aun así, insistía mucho en que mi mala conducta quedaría absuelta si asistía a su funeral y te contaba qué fue de la madre de Anna. Así que aquí estoy, y esta es la respuesta: *Omnis cellula e cellula.*

—¿Qué? —volví a preguntarle.

—*Omnis cellula e cellula* —me repitió—. Todas las células surgen de células. Toda célula nace de una célula anterior, que a su vez nació de otra célula anterior. La vida surge de la vida. La vida engendra vida que engendra vida que engendra vida que engendra vida.

Llegamos al pie de la colina.

—Vale, muy bien —le contesté.

No estaba de humor para aguantarlo. Peter van Houten no iba a monopolizar el funeral de Gus. No iba a permitirlo.

—Gracias —le dije—. Bueno, me temo que hemos llegado al pie de la colina.

—¿No quieres que te lo explique? —me preguntó.

—No —le contesté—. Estoy bien así. Creo que es usted un alcohólico patético que dice cosas estrambóticas para llamar la atención, como un niño fastidioso de once años, y lo siento mucho por usted. Pero no, usted ya no es el tipo que escribió *Un dolor imperial*, así que no podría continuarlo aunque quisiera. Pero gracias. Que le vaya muy bien en la vida.

—Pero…

—Gracias por el trago —le respondí—. Y ahora salga del coche.

Pareció como si le hubieran regañado. Mi padre había parado el coche y nos quedamos un minuto allí, bajo la tumba de Gus, hasta que Van Houten abrió la puerta y salió por fin sin decir nada.

Al arrancar de nuevo, lo vi por la ventana de atrás dando un trago y alzando la botella hacia mí, como si brindara conmigo. Sus ojos parecían muy tristes. Para ser sincera, me dio un poco de lástima.

Llegamos por fin a casa hacia las seis. Yo estaba agotada, solo quería dormir, pero mi madre me obligó a comerme un plato de pasta con queso, aunque al menos me permitió comérmelo en la cama. Dormí un par de horas con el BiPAP. Y el despertar fue horrible, porque por un momento estuve desorientada y pensé que todo iba bien, así que después volví a derrumbarme. Mi madre me quitó el BiPAP, me encadené a un tanque de oxígeno y fui a tropezones a mi cuarto de baño para lavarme los dientes.

Mirándome en el espejo mientras me cepillaba los dientes pensé que había dos tipos de adultos: los Peter van Houten —criaturas miserables que rastrean la tierra en busca de algo a lo que hacer daño— y las personas como mis padres, que rondaban por ahí como zombis y que hacían lo que tuvieran que hacer para seguir rondando por ahí.

Ninguna de estas dos perspectivas me resultaba especialmente deseable. Me daba la impresión de que ya había visto todo lo puro y bueno del mundo, y empezaba a sospechar que, aun cuando la muerte no se hubiera cruzado en nuestro camino, el amor que compartíamos Augustus y yo no habría podido durar. «Así se sume en el día el amanecer», escribió el poeta. «Nada dorado puede permanecer.»

Alguien llamó a la puerta del baño.

—Ocupado —dije.

—Hazel —dijo mi padre—, ¿puedo entrar?

No le contesté, pero al momento quité el pestillo y me senté en el váter. ¿Por qué tenía que costarme tanto respirar? Mi padre se arrodilló a mi lado. Me cogió la cabeza y la apoyó sobre su hombro.

—Siento mucho que Gus haya muerto —me dijo.

Casi me ahogaba con su camiseta, pero me gustaba que me abrazara tan fuerte y sentir el olor familiar de mi padre. Era casi como si estuviera enfadado, y me gustaba, porque yo también estaba enfadada.

—Es una mierda —me dijo—. Todo es una mierda. ¿Ochenta por ciento de probabilidades de vivir y a él le toca el veinte por ciento? Mierda. Era un chico brillante. Es una mierda. Lo odio. Pero seguro que ha sido un privilegio quererlo, ¿verdad?

Asentí sin levantar la cabeza de su camiseta.

—Puedes hacerte una idea de lo que siento por ti.

Mi viejo. Siempre sabía lo que decir.

Capítulo 23

Un par de días después me levanté hacia las doce del mediodía y fui a casa de Isaac. Me abrió la puerta él mismo.

—Mi madre ha llevado a Graham al cine —me dijo.

—Podríamos hacer algo —le dije.

—¿Puede ser ese algo jugar a videojuegos para ciegos sentados en el sofá?

—Sí, es exactamente lo que estaba pensando.

Nos sentamos y durante un par de horas hablamos juntos a la pantalla y nos adentramos juntos por aquella invisible cueva laberíntica sin un solo rayo de luz. Lo más entretenido del juego era sin duda intentar que el ordenador entablara con nosotros conversaciones graciosas.

Yo: Toco la pared de la cueva.

Ordenador: Tocas la pared de la cueva. Está húmeda.

Isaac: Chupo la pared de la cueva.

Ordenador: No lo entiendo. ¿Puedes repetirlo?

Yo: Me tiro a la húmeda pared de la cueva.

Ordenador: Intentas tirar la pared. Te das un golpe en la cabeza.

Isaac: No tiro la pared. ¡Me la tiro!

Ordenador: No lo entiendo.

Isaac: Colega, llevo semanas solo en esta cueva oscura y necesito aliviarme un poco. ME TIRO LA PARED DE LA CUEVA.

Ordenador: Intentas tirar…

Yo: Empujo la pelvis contra la pared de la cueva.

Ordenador: No lo…

Isaac: Hago el amor con suavidad a la cueva.

Ordenador: No lo…

Yo: VALE. Me meto en el camino de la izquierda.

Ordenador: Te metes en el camino de la izquierda. El paso se estrecha.

Yo: Me agacho.

Ordenador: Te agachas cien metros. El paso se estrecha.

Yo: Me arrastro.

Ordenador: Te arrastras cien metros. Un hilo de agua te recorre el cuerpo. Llegas a un montículo de piedras pequeñas que te cortan el paso.

Yo: ¿Puedo tirarme ahora la pared de la cueva?

Ordenador: No puedes tirar la pared sin haberte levantado.

Isaac: No me gusta vivir en un mundo sin Augustus Waters.

Ordenador: No lo entiendo.

Isaac: Yo tampoco. Pausa.

Isaac tiró el mando contra el sofá.

—¿Sabes si le dolió?

—Creo que le costaba mucho respirar —le contesté—. Al final perdió el conocimiento, pero parece que no fue demasiado bien, claro. Morirse es una mierda.

—Sí —respondió Isaac. Y tras una larga pausa—: Pero parece tan imposible…

—Pasa todos los días —le contesté.

—Pareces enfadada —añadió.

—Sí —dije yo.

Nos quedamos en silencio largo rato, y me pareció bien. Yo pensaba en el primer día que vi a Augustus, en el corazón de Jesús literal, cuando nos dijo que le daba miedo el olvido, y yo le contesté que le daba miedo algo universal e inevitable, y que en realidad el problema no es el sufrimiento en sí ni el olvido en sí, sino el perverso sinsentido de ambas cosas, el nihilismo absolutamente inhumano del sufrimiento. Pensaba en mi padre diciéndome que el universo quiere que lo observen. Pero lo que queremos nosotros es que el universo nos observe a nosotros, y la verdad es que al universo le importa una mierda lo que nos pase, no a la idea general de vida sensible, pero sí a cada uno de nosotros como individuos.

—Gus te quería de verdad, ya lo sabes —me dijo.

—Lo sé.

—No dejaba de repetirlo.

—Lo sé —le contesté.

—Era un cabrón.

—A mí no me parecía un cabrón.

—¿Te dio lo que estaba escribiendo?

—¿El qué?

—La segunda parte de un libro que te gustaba o algo así.

Me giré hacia Isaac.

—¿Cómo dices?

—Me dijo que estaba escribiendo algo para ti, pero que no se le daba demasiado bien escribir.

—¿Cuándo te lo contó?

—No sé, en algún momento después de volver de Amsterdam.

—¿En qué momento? —insistí.

¿No había podido acabarlo? ¿Lo había acabado y estaba en su ordenador, por ejemplo?

—Uf —suspiró Isaac—. Uf, no lo sé. Hablamos del tema en mi casa una vez. Estaba aquí... Ah, estábamos jugando con mi aparato de leer e-mails y justo recibí uno de mi abuela. Puedo comprobar la fecha si quieres...

—Sí, sí, ¿dónde está el aparato?

Lo había comentado hacía un mes. Un mes. Debo admitir que no había sido un buen mes, pero aun así era un mes, tiempo suficiente para que hubiera escrito por lo menos algo. Había algo suyo, o como mínimo hecho por él, flotando por ahí. Lo necesitaba.

—Voy a su casa —le dije a Isaac.

Corrí hacia el coche, lancé el carrito del oxígeno en el asiento del copiloto y arranqué. En la radio sonó una canción de hip-hop a todo volumen, y cuando alargaba la mano para cambiar de emisora, alguien empezó a rapear. En sueco.

Me giré y grité cuando vi a Peter van Houten sentado en el asiento de atrás.

—¡Perdona que te haya asustado! —me dijo Van Houten a gritos para que el rap me permitiera oírlo.

Aunque había pasado casi una semana, seguía llevando el traje del funeral. Olía como si sudase alcohol.

—Puedes quedarte con el CD —me dijo—. Es Snook, uno de los mejores raperos suecos…

—¡SALGA DE MI COCHE AHORA MISMO!

Apagué el equipo de música.

—El coche es de tu madre, si no me equivoco —me dijo—. Además, no estaba cerrado.

—¡Mierda! Salga del coche o llamo a la policía. ¿Qué carajos le pasa?

—Si solo me pasara una cosa… —me contestó pensativo—. He venido simplemente a pedirte disculpas. Tenías razón cuando me dijiste que soy un niño patético adicto al alcohol. Solo tengo a una persona que pasa algún tiempo conmigo porque le pago para eso… Bueno, peor aún, ya ha renunciado y me ha dejado como un alma en pena que no puede conseguir compañía ni siquiera sobornando. Así es, Hazel. Todo eso y más.

—Bien —le dije.

El discurso habría sido mucho más conmovedor si no hubiera arrastrado las palabras.

—Me recuerdas a Anna.

—A mucha gente le recuerdo a mucha gente —le contesté—. Tengo que irme, de verdad.

—Pues arranca —respondió.

—Salga.

—No. Me recuerdas a Anna —repitió.

Di marcha atrás. No podía obligarlo a marcharse, y no tenía por qué hacerlo. Iría a casa de Gus, y sus padres ya conseguirían que se marchara.

—Seguro que conoces a Antonietta Meo —me dijo Van Houten.

—Pues no —le contesté.

Encendí el equipo de música y el hip-hop sueco sonó a todo volumen, pero Van Houten berreó por encima.

—Dentro de poco puede ser la santa más joven beatificada por la Iglesia católica sin haber sido mártir. Tenía el mismo cáncer que Waters, osteosarcoma. Le cortaron la pierna derecha. El dolor era espantoso. Mientras Antonietta Meo yacía moribunda a la madura edad de seis años por ese atroz cáncer, le dijo a su padre: «El dolor es como una tela: cuanto más fuerte es, más valor tiene». ¿Es eso cierto, Hazel?

No lo miraba directamente, sino a través del retrovisor.

—¡No! —grité por encima de la música—. Qué estupidez.

—Pero ¿no te gustaría que fuera verdad? —me gritó también él.

Apagué la música.

—Siento haberles fastidiado el viaje. Eran demasiado jóvenes. Eran…

Se derrumbó. Como si tuviera derecho a llorar por Gus. Van Houten solo era uno más de los infinitos lastimeros que no lo conocían, otra lamentación en su muro que llegaba demasiado tarde.

—No nos arruinó el viaje. No se dé tanta importancia, imbécil. Lo pasamos genial.

—Lo intento —me dijo—. Lo intento, te lo juro.

Más o menos en aquel momento me di cuenta de que alguien de la familia de Peter van Houten había muerto. Pensé en la sinceridad con la que había escrito sobre el cáncer en niños, en el hecho de que no pudiera hablar conmigo en Amsterdam salvo para preguntarme si me había vestido como ella a propósito, en su mierda con Augustus y conmigo, en su dolorosa pregunta sobre la relación entre el dolor extremo y su valor. Ahí estaba, bebiendo, un viejo que llevaba años borracho. Pensé en una estadística que habría preferido no conocer: la mitad de los matrimonios se rompen antes de un año de haber muerto un hijo. Miré a Van Houten. En ese momento pasábamos por delante de la facultad. Paré detrás de una fila de coches aparcados.

—¿Se le murió un hijo?

—Una hija —me dijo—. Tenía ocho años. Sufrió muchísimo. Nunca la beatificarán.

—¿Tenía leucemia? —le pregunté.

Asintió.

—Como Anna —dije.

—Muy parecida a ella, sí.

—¿Estaba casado?

—No. Bueno, no en la época en que se murió. Me casé muchísimo después de que la perdiéramos, y fue insoportable. La pena no te cambia, Hazel. Te deja al descubierto.

—¿Vivía con ella?

—No, al principio no, aunque al final la llevamos a Nueva York, donde yo vivía, para que recibiera toda una serie de torturas experimentales que hicieron sus días más miserables, pero no le dieron más días.

—Entonces usted le dio una especie de segunda vida en la que llega a la adolescencia.

—Supongo que así es —me dijo. Y enseguida añadió—: Supongo que conoces el experimento mental de Philippa Foot, el dilema del tranvía.

—Y entonces yo aparezco por su casa vestida como la chica que usted esperaba que ella llegara a ser y… se queda desconcertado.

—Un tranvía fuera de control avanza por una carretera —me dijo.

—Me importa un bledo su estúpido experimento mental —le dije.

—No es mío. Es de Philippa Foot.

—Lo mismo me da —repliqué.

—Mi hija no entendía por qué le pasaba todo aquello —continuó—. Tuve que decirle que iba a morirse. La trabajadora social insistió en que tenía que decírselo. Como tenía que decirle que iba a morirse, le dije que iría al cielo. Me preguntó si yo estaría allí, y le contesté que no, que todavía no. Pero me preguntó si más adelante sí, y le prometí que sí, claro, muy pronto. Y también le dije que mientras tanto teníamos en el cielo a muchos familiares que la cuidarían. Me preguntó cuándo iría yo, y le contesté que pronto. Hace veintidós años.

—Lo siento.

—Yo también.

—¿Qué pasó con su madre? —le pregunté.

—Sigues buscando la segunda parte, listilla —me dijo sonriendo.

Le devolví la sonrisa.

—Debería volver a su casa —añadí—, dejar de beber y escribir otra novela. Hacer las cosas en las que es bueno. No hay tanta gente que tenga la suerte de ser tan bueno en algo.

Me miró largo rato a través del espejo.

—De acuerdo —me dijo—. Sí, tienes razón. Tienes razón.

Pero mientras lo decía sacó la pequeña botella de whisky, ya casi vacía. Bebió, se la guardó y abrió la puerta.

—Adiós, Hazel.

—Que le sea leve, Van Houten.

Se sentó en el borde, detrás del coche. Lo observé agacharse por el retrovisor. Sacó la botella, y por un segundo me pareció que iba a dejarla en el borde. Pero acto seguido le dio un trago.

La tarde era muy calurosa en Indianápolis, con el aire denso e inmóvil, como si estuviéramos dentro de una nube. Para mí era lo peor, y me dije a mí misma que la distancia entre el camino y la puerta de la casa se me hacía infinita por culpa del aire. Llamé al timbre y me abrió la madre de Gus.

—Ay, Hazel —me dijo.

Y se me tiró encima llorando.

Se empeñó en que comiera una lasaña de berenjenas —supongo que mucha gente les había llevado comida— con ella y el padre de Gus.

—¿Cómo estás?

—Lo echo de menos.

—Claro.

No sabía qué decir, la verdad. Lo único que quería era bajar al sótano y buscar lo que hubiera escrito para mí. Además, el silencio me incomodaba mucho. Quería que hablaran entre ellos, que se consolaran, que se dieran la mano, lo que fuera, pero se limitaban a comer trocitos diminutos de lasaña sin siquiera mirarse.

—El cielo necesitaba un ángel —dijo su padre al rato.

—Lo sé —dije yo.

Entonces aparecieron sus hermanas y los trastos de sus hijos y se metieron en la cocina. Me levanté, abracé a las dos hermanas y observé a los niños corriendo por la cocina con su acuciante y necesario excedente de ruido y movimiento, moléculas nerviosas rebotando entre sí y gritando: «Paras, no, paras, no, paraba antes pero te he pillado, no me has pillado, me he escapado, bueno pues ahora te pillo, no, tonto del culo, ahora no vale, DANIEL, NO LLAMES A TU HERMANO TONTO DEL CULO, mamá, si no puedo decirlo, por qué acabas de decirlo tú, tonto del culo, tonto del culo», y después, a coro, «tonto del culo, tonto del culo, tonto del culo, tonto del culo», y ahora los padres de Gus estaban cogidos de la mano, sentados a la mesa, lo que hizo que me sintiera mejor.

—Isaac me ha dicho que Gus estaba escribiendo algo, algo para mí —dije.

Los niños seguían cantando su canción del tonto del culo.

—Podemos mirar en su ordenador —contestó su madre.

—No lo utilizó mucho las últimas semanas —añadí yo.

—Es cierto. Ni siquiera estoy segura de que lo subiéramos. ¿Está todavía en el sótano, Mark?

—Ni idea.

—Bueno, ¿puedo...? —pregunté haciendo un gesto hacia la puerta del sótano.

—Nosotros todavía no estamos preparados —me dijo su padre—, pero, por supuesto, sí, Hazel. Por supuesto que puedes.

Bajé al sótano y dejé atrás su cama deshecha y las sillas para jugar frente a la tele. El ordenador estaba encendido. Pulsé el ratón para que se pusiera en marcha y busqué los archivos más recientes. Nada en el último mes. Lo más reciente era una crítica del libro *Ojos azules*, de Toni Morrison.

Quizá había escrito algo a mano. Me acerqué a las estanterías y busqué un diario o una libreta. Nada. Pasé las páginas de su ejemplar de *Un dolor imperial*, pero ni siquiera había dejado una marca.

Me dirigí a la mesita de noche. *Infinito Mayhem*, la novena parte de *El precio del amanecer*, estaba junto a la lamparilla, con la esquina de la página 138 doblada. No había llegado a acabarlo. «Te fastidio el final: Mayhem sobrevive», le dije en voz alta, por si acaso podía oírme.

Y después me metí sigilosamente en su cama deshecha, me tapé con su edredón y me empapé de su olor. Me quité el tubo para olerlo mejor, inspirarlo y espirarlo. El aroma se desvanecía incluso mientras yo estaba allí tumbada, con el pecho ardiendo, hasta que no pude diferenciar los dolores.

Al rato me senté en la cama, me coloqué los tubos y respiré un poco antes de subir la escalera. Sacudí la cabeza en respuesta a las miradas expectantes de los padres de Gus. Los niños pasaron corriendo a mi lado. Una hermana de Gus —no soy capaz de diferenciarlas— dijo:

—Mamá, ¿quieres que me los lleve al parque?

—No, no, no molestan.

—¿Se les ocurre algún sitio en el que pueda haber dejado una libreta? ¿Quizá la camilla?

La camilla ya no estaba. La había reclamado el hospital.

—Hazel —dijo su padre—, estabas cada día con nosotros. No estaba mucho tiempo solo, cariño. No habría tenido tiempo de escribir. Sé que quieres... Yo también lo quiero. Pero los mensajes que nos deja ahora vienen de arriba, Hazel.

Señaló el techo, como si Gus estuviera flotando por encima de la casa. Quizá lo estaba. No lo sé. Pero no sentía su presencia.

—Claro —le respondí.

Prometí volver a visitarlos en unos días.

Nunca volví a percibir su olor.

Capítulo 24

Tres días después, el undécimo día d. G., el padre de Gus me llamó por la mañana. Estaba todavía enganchada al BiPAP, así que no contesté, pero escuché su mensaje después del pitido de mi teléfono.

«Hola, Hazel, soy el padre de Gus. He encontrado una… una libreta negra en el estante de las revistas de al lado de su cama, en el hospital, creo que lo bastante cerca para que llegara. Desgraciadamente no hay nada escrito. Todas las páginas están en blanco. Pero han arrancado las primeras páginas, creo que tres o cuatro. Hemos buscado por casa, pero no hemos encontrado las páginas, así que no sé qué hacer. Quizá esas páginas son las que decía Isaac. Bueno, espero que estés bien. Rezamos por ti cada día, Hazel. Bueno, adiós.»

Tres o cuatro páginas arrancadas de una libreta que no estaban en casa de Augustus Waters. ¿Dónde podría habérmelas dejado? ¿Pegadas con cinta adhesiva en los *Funky Bones*? No, no estaba lo bastante fuerte para haber llegado hasta allí.

El corazón de Jesús literal. Quizá las dejó allí en su Último Buen Día.

Al día siguiente salí hacia el grupo de apoyo veinte minutos antes. Pasé por la casa de Isaac, lo recogí, y desde allí nos dirigimos al corazón de Jesús literal con las ventanas del carro abajo y escuchando el nuevo álbum de The Hectic Glow, que acababa de salir y que Gus nunca escucharía.

Cogimos el ascensor. Dejé a Isaac sentado en el «círculo de la confianza» y empecé a recorrer lentamente el corazón literal. Busqué en todas partes: debajo de las sillas, alrededor del atril en el que leí mi discurso fúnebre, debajo de la mesa, en el tablón de anuncios, lleno de dibujos sobre el amor de Dios de los niños de la escuela religiosa dominical… Nada. Era el único sitio en el que habíamos estado juntos en los últimos días, aparte de su casa, así que o no estaba allí o algo se me había pasado por alto. Quizá me las había dejado en el hospital, pero, de ser así, casi seguro que las habían tirado después de su muerte.

Cuando me senté al lado de Isaac, estaba sin aliento, de modo que dediqué todo el testimonio de cómo Patrick se quedó sin huevos a decir a mis pulmones que estaban bien, que podían respirar, que había suficiente oxígeno. Me los habían drenado una semana antes de que Gus muriera —observé el líquido amarillo saliendo por el tubo— y ya volvía a sentirlos llenos. Estaba tan concentrada diciéndome a mí misma que tenía que respirar que al principio no me di cuenta de que Patrick había dicho mi nombre.

Presté atención de golpe.

—¿Sí? —pregunté.

—¿Cómo estás?

—Estoy bien, Patrick. Me cuesta un poco respirar.

—¿Te gustaría compartir un recuerdo de Augustus con el grupo?

—Me gustaría morirme, Patrick. ¿Alguna vez te gustaría morirte?

—Sí —me contestó sin hacer su pausa habitual—. Sí, por supuesto. ¿Y por qué no te mueres?

Lo pensé. La típica respuesta era que quería seguir viva por mis padres, porque ellos se quedarían destrozados y sin hijos por mi culpa, y de alguna manera era cierto, pero no era exactamente eso.

—No lo sé.

—¿Porque esperas ponerte mejor?

—No —le contesté—. No, no es eso. De verdad no lo sé. ¿Isaac? —pregunté.

Estaba cansada de hablar.

Isaac empezó a hablar del amor verdadero. No podía decirles lo que pensaba porque me parecía una mierda, pero pensaba en el universo, que quería que lo observaran, y en que tenía que observarlo lo mejor que pudiera. Sentía que estaba en deuda con el universo y que solo podría pagarla con mi atención, y que también estaba en deuda con todos aquellos que habían dejado de ser personas y con todos aquellos que todavía no lo habían sido. Básicamente, lo que mi padre me había dicho.

Me quedé callada durante el resto de la reunión. Patrick rezó una oración especial para mí, añadió el nombre de Gus al final de la larga lista de muertos —catorce muertos por cada uno de nosotros—, prometimos que aquel sería el mejor día de nuestra vida y llevé a Isaac al coche.

Cuando llegué a casa, mis padres estaban sentados a la mesa del comedor, cada uno con su portátil, y en el momento en que crucé la puerta, mi madre cerró el suyo de golpe.

—¿Qué estabas mirando? —le pregunté.

—Nada, unas recetas antioxidantes. ¿Preparada para el BiPAP y el *reality* de las modelos? —me preguntó.

—Voy a tumbarme un minuto.

—¿Estás bien?

—Sí, solo cansada.

—Bueno, tienes que comer antes de…

—Mamá, no tengo nada de hambre.

Di un paso hacia la puerta, pero se metió en medio.

—Hazel, tienes que comer. Solo un poco de…

—No. Me voy a la cama.

—No —dijo mi madre—. No te vas a la cama.

Miré a mi padre, que se encogió de hombros.

—Es mi vida —dije.

—No vas a morirte de hambre solo porque Augustus ha muerto. Vas a cenar.

Por alguna razón estaba realmente cabreada.

—No puedo comer, mamá. No puedo. ¿Vale?

Intenté pasar por su lado, pero me agarró por los hombros.

—Hazel, vas a cenar. Tienes que mantenerte sana.

—¡NO! —grité—. No voy a cenar, y no puedo mantenerme sana porque no estoy sana. Estoy muriéndome, mamá. Voy a morirme, y te dejaré aquí sola, y no podrás estar encima de mí todo el rato, y ya no serás madre, y lo siento, pero no puedo hacer nada, ¿vale?

Lo lamenté nada más haberlo dicho.

—Me oíste.

—¿El qué?

—¿Me oíste decírselo a tu padre?

Se le llenaron los ojos de lágrimas.

—¿Me oíste? —volvió a preguntarme.

Asentí.

—Oh, Dios mío, Hazel. Perdóname. Estaba equivocada, cariño. No era verdad. Lo dije en un momento de desesperación. No lo creo realmente.

Se sentó y yo me senté con ella. Pensé que, en lugar de cabrearme, debería haber comido un poco de pasta por ella.

—¿Qué crees entonces? —le pregunté.

—Mientras una de las dos esté viva, seré tu madre —me contestó—. Incluso si te mueres…

—Cuando me muera —le corregí.

Asintió.

—Incluso cuando te mueras, seguiré siendo tu madre, Hazel. No voy a dejar de ser tu madre. ¿Has dejado tú de querer a Gus?

Negué con la cabeza.

—Entonces, ¿cómo podría yo dejar de quererte a ti?

—De acuerdo —contesté.

Mi padre ya estaba llorando.

—Quiero que tengan vida propia —les dije—. Me preocupa que no vayan a tenerla, que anden todo el día por aquí sin tener que ocuparse de mí, mirando las paredes y sin ganas de vivir.

Tras una pausa, mi madre dijo:

—Estoy estudiando. Online, en la Universidad de Indianápolis. Para sacarme un máster en trabajo social. La verdad es que no estaba mirando recetas antioxidantes. Estaba haciendo un trabajo.

—¿En serio?

—No quiero que pienses que estoy imaginándome un mundo sin ti. Pero si me saco el máster en trabajo social, puedo aconsejar a familias en crisis o llevar grupos que se enfrenten a la enfermedad de un familiar o...

—Espera, ¿vas a convertirte en un Patrick? —le pregunté.

—Bueno, no exactamente. Hay todo tipo de trabajos sociales.

—Nos preocupaba que te sintieras abandonada —dijo mi padre—. Es importante que sepas que siempre estaremos aquí para ti, Hazel. Tu madre no va a ir a ninguna parte.

—No, es genial. ¡Es fantástico! —exclamé sonriendo—. Mamá va a convertirse en un Patrick. ¡Será un Patrick genial! Lo hará mucho mejor que él.

—Gracias, Hazel. Es muy importante para mí.

Asentí. Se me saltaban las lágrimas. No podía ser más feliz y lloraba de auténtica felicidad por primera vez en mi vida imaginando a mi madre como un Patrick. Pensé en la madre de Anna. También ella habría sido una buena trabajadora social.

Al rato encendimos la tele para ver el *reality* de las modelos, pero lo paré cinco segundos después porque tenía muchas preguntas que hacerle a mi madre.

—¿Y cuánto te falta para acabar?

—Si este verano voy una semana a Bloomington, debería poder acabar hacia diciembre.

—¿Cuánto tiempo exactamente me lo has ocultado?

—Un año.

—Mamá.

—No quería hacerte daño, Hazel.

Increíble.

—Así que cuando estás esperándome fuera de la universidad, del grupo de apoyo o de donde sea, siempre estás…

—Sí, trabajando o leyendo.

—Es genial. Quiero que sepas que, cuando esté muerta, suspiraré desde el cielo cada vez que pidas a alguien que comparta sus sentimientos.

Mi padre se rió.

—Estaré allí contigo, mi niña —me aseguró.

Al final vimos el *reality*. Mi padre hacía un gran esfuerzo por no morirse de aburrimiento y confundía todo el rato a las chicas.

—¿Esta nos gusta? —nos preguntó.

—No, no. Anastasia nos cae fatal. La que nos gusta es Antonia, la otra rubia —le explicó mi madre.

—Son todas altas y horrorosas —dijo mi padre—. Perdonen por no haberlas diferenciado.

Mi padre pasó la mano por delante de mí para coger la de mi madre.

—¿Creen que seguirán juntos si me muero? —les pregunté.

—Hazel, cariño, ¿qué dices?

Buscó a tientas el control y paró la televisión.

—¿Qué te pasa?

—Nada. Solo pregunto si seguirán juntos.

—Sí, claro, por supuesto —me contestó mi padre—. Tu madre y yo nos queremos, y si te perdemos, lo sufriremos juntos.

—Júralo por Dios —le pedí.

—Lo juro por Dios —me dijo.

Miré a mi madre.

—Lo juro por Dios —dijo ella también—. ¿Por qué te preocupas por eso?

—No quiero destrozarles la vida.

Mi madre se inclinó hacia delante, apretó la cara contra mi alborotada mata de pelo y me besó en la cabeza.

—No quiero que te conviertas en un triste alcohólico sin empleo o algo así —le dije a mi padre.

Mi madre sonrió.

—Tu padre no es Peter van Houten, Hazel. Si alguien en el mundo sabe que se puede vivir con dolor, esa eres tú.

—Sí, vale —contesté.

Mi madre me abrazó, y la dejé, aunque en realidad no quería que me abrazaran.

—Bueno, puedes quitarle la pausa —le dije.

Expulsaron a Anastasia. Le dio un ataque. Era increíble.

Cené algo —*farfalle* con pesto— y conseguí que se quedara en el estómago.

Capítulo 25

A la mañana siguiente me desperté muy nerviosa porque había soñado que estaba sola en medio de un enorme lago. Salté de repente en la cama, tiré del BiPAP y sentí la mano de mi madre sobre mí.

—Hola. ¿Estás bien?

El corazón me latía a toda velocidad, pero asentí.

—Kaitlyn está al teléfono —me dijo.

Señalé el BiPAP. Me ayudó a quitármelo, me conectó a Philip y por fin cogí el móvil, que me tendía mi madre.

—Hola, Kaitlyn —la saludé.

—Te llamo solo para saber cómo estás —me dijo—, cómo te va.

—Bien, gracias —le contesté—. Me va bien.

—Has tenido la peor suerte del mundo, cariño. Es excesivo.

—Supongo —le dije.

De todas formas, ya no pensaba demasiado en mi suerte. Sinceramente, no quería hablar de nada con Kaitlyn, pero ella se dedicó a alargar la conversación.

—¿Y cómo ha sido? —me preguntó.

—¿Que se muera tu novio? Pues una mierda.

—No —me dijo—. Estar enamorada.

—Ah... Ha sido... Ha sido bonito pasar tiempo con alguien tan interesante. Éramos muy diferentes y no estábamos de acuerdo en muchas cosas, pero él era siempre muy interesante, ¿sabes?

—Por desgracia, no. Los chicos con los que me relaciono son infinitamente poco interesantes.

—No es que fuera perfecto. No era tu príncipe azul ni nada de eso. Intentaba serlo algunas veces, pero me gustaba más cuando se dejaba de esas historias.

—¿Tienes un álbum de fotos y cartas que te haya escrito?

—Tengo algunas fotos, pero la verdad es que nunca me escribió cartas. Excepto, bueno, se han perdido unas páginas de una libreta suya que quizá eran para mí, pero supongo que las tiró o se han perdido.

—Quizá te las mandó por e-mail —me dijo.

—No, me habrían llegado.

—Entonces quizá no las escribió para ti —me dijo—. Quizá... bueno, no quiero deprimirte, pero quizá las escribió para otra persona y se las mandó por e-mail...

—¡VAN HOUTEN! —grité.

—¿Estás bien? ¿Qué ha sido eso? ¿Tienes tos?

—Kaitlyn, te quiero. Eres un genio. Tengo que dejarte.

Colgué, corrí a coger mi portátil, lo encendí y mandé un e-mail a lidewij.vliegenthart.

Lidewij:

Creo que Augustus Waters mandó unas páginas de libreta a Peter van Houten poco antes de morir (Augustus). Es muy importante para mí que alguien lea esas páginas. Yo quiero leerlas, por supuesto, pero quizá no las escribió para mí. Alguien tiene que leerlas a toda costa. ¿Puedes ayudarme?

Tu amiga,

Hazel Grace Lancaster

Me contestó a última hora de la tarde.

Querida Hazel:

No sabía que Augustus había muerto. Me entristece mucho la noticia. Era un chico muy carismático. Lo siento mucho y estoy muy triste.

No he hablado con Peter desde que renuncié, el día en que nos conocimos. Aquí es ya muy tarde, pero lo primero que haré mañana por la mañana será pasarme por su casa para buscar esa carta y obligarlo a leerla. Las mañanas suelen ser su mejor momento.

Tu amiga,

Lidewij Vliegenthart

P. D. Iré con mi novio por si tenemos que sujetar físicamente a Peter.

Me preguntaba por qué en aquellos días había escrito a Van Houten, en lugar de a mí, diciéndole que solo quedaría redimido si me ofrecía la segunda parte. Quizá las páginas de la libreta simplemente repetían su petición a Van Houten. Tenía sentido que Gus utilizara su enfermedad terminal para hacer realidad mi sueño. Esa segunda parte no era algo glorioso por lo que morir, pero era lo mejor que le quedaba a su disposición.

Aquella noche actualicé mi correo continuamente, dormí unas horas y empecé a actualizar de nuevo hacia las cinco de la mañana. Pero no llegó nada. Intenté ver la tele para distraerme, pero mis pensamientos volaban a Amsterdam. Imaginaba a Lidewij Vliegenthart y a su novio recorriendo la ciudad en bicicleta con la loca misión de encontrar la última carta de un chico muerto. Sería divertido ir dando botes en la parte de atrás de la bicicleta de Lidewij Vliegenthart por las calles de ladrillo, con su pelo rojo y rizado en mi cara, el olor de los canales y de los cigarrillos, todo el mundo en las terrazas de las cafeterías bebiendo cerveza y diciendo sus erres y sus ges de una manera que no había conseguido aprender.

Eché de menos el futuro. Obviamente, sabía incluso antes de que su cáncer recurriera que nunca me haría vieja con Augustus Waters. Pero, al pensar en Lidewij y en su novio, me sentí estafada. Seguramente no volvería a ver el océano desde treinta mil pies de altura, tan arriba que no puedes distinguir las olas y los barcos, que el océano es un infinito monolito. Podría imaginarlo, podría recordarlo, pero no podría volver a verlo, y se me ocurrió que los sueños que se hacen realidad nunca sacian la voraz ambición humana, porque siempre pensamos que podríamos volver a hacerlo todo mejor.

Y seguramente es así aunque vivas hasta los noventa años... pero siento celos de la gente que logra descubrirlo. Pero ya había vivido el doble que la hija de Van Houten. Qué no habría dado por que su hija muriera a los dieciséis.

De pronto mi madre se colocó entre la tele y yo, con las manos detrás de la espalda.

—Hazel —me dijo en tono tan serio que pensé que pasaba algo.

—Dime.

—¿Sabes qué día es hoy?

—No es mi cumpleaños, ¿verdad?

Se rió.

—Todavía no. Es 14 de julio, Hazel.

—¿Tu cumpleaños?

—No…

—¿El cumpleaños de Harry Houdini?

—No…

—Estoy harta de adivinar, de verdad.

—¡ES EL DÍA DE LA BASTILLA!

Sacó las manos de detrás de la espalda y aparecieron dos banderitas francesas, que agitó con entusiasmo.

—Suena falso, como el Día Mundial contra el Cólera.

—Te aseguro, Hazel, que el día de la Bastilla no tiene nada de falso. ¿Sabías que hoy hace doscientos veintitrés años que los franceses tomaron la cárcel de la Bastilla para coger las armas y luchar por su libertad?

—¡Uau! —exclamé—. Tenemos que celebrar este aniversario trascendental.

—Pues resulta que precisamente he organizado un picnic con tu padre en el Holliday Park.

Mi madre nunca se daba por vencida. Apoyé las manos en el sofá y me levanté. Preparamos juntas unos bocadillos, y en el armario del recibidor encontramos una cesta de picnic polvorienta.

Hacía un día precioso, por fin verano de verdad en Indianápolis, caluroso y húmedo, el tiempo que, tras el largo invierno, te recuerda que el mundo no fue creado para el hombre, sino que el hombre fue creado para el mundo. Mi padre, vestido con un traje color canela, nos esperaba tecleando en su celular en un parqueadero para discapacitados. Nos saludó con la mano cuando estacionamos y me abrazó.

—Qué día tan bonito —dijo—. Si viviéramos en California, serían todos así.

—Sí, pero entonces no los disfrutarías tanto —replicó mi madre.

Estaba equivocada, pero no la corregí.

Acabamos poniendo la manta cerca del extraño recinto de ruinas romanas plantificadas en medio de un campo de Indianápolis. Pero no son ruinas auténticas. Son como una recreación de hace ochenta años, aunque no han cuidado demasiado las falsas ruinas, así que se han convertido en ruinas reales por accidente. A Van Houten le gustaban, y a Augustus también.

Nos sentamos a la sombra de las ruinas y comimos.

—¿Quieres protector solar? —me preguntó mi madre.

—No, gracias —le contesté.

Se oía el viento entre las hojas, y en aquel viento viajaban los sueños de los niños que jugaban a lo lejos, los niños pequeños que descubrían la vida, que aprendían a correr por un mundo que no había sido creado para ellos corriendo por un parque infantil que sí había sido creado para ellos. Mi padre vio que observaba a los niños.

—¿Echas de menos corretear como ellos?

—A veces, supongo.

Pero no era eso lo que pensaba. Solo intentaba observarlo todo: la luz en las ruinas, un niño que apenas sabía andar descubriendo un palo en un rincón del parque, mi incansable madre extendiendo mostaza en su bocadillo de pavo, mi padre dando palmaditas al móvil, que llevaba en el bolsillo, y resistiendo la tentación de revisar las llamadas, un chico lanzando un disco, y su perro corriendo detrás, cogiéndolo y devolviéndoselo.

¿Quién soy yo para decir que estas cosas podrían no ser eternas? ¿Quién es Peter van Houten para afirmar como un hecho la suposición de que nuestra labor es temporal? Todo lo que sé del cielo y de la muerte está en este parque: un elegante universo en incesante movimiento, lleno de ruinas deterioradas y de niños que gritan.

Mi padre pasó la mano por delante de mi cara.

—Vuelve, Hazel. ¿Estás aquí?

—Perdona, sí. ¿Qué?

—Mamá ha propuesto que vayamos a ver a Gus.

—Sí, claro —le contesté.

Después de comer fuimos al cementerio de Crown Hill, el lugar en el que descansan tres vicepresidentes, un presidente y Augustus Waters. Subimos la colina y aparcamos. Detrás, en la calle Ochenta y seis, rugían los coches. Era fácil encontrar la tumba, porque era la más nueva. Todavía había tierra amontonada alrededor del ataúd y aún no habían colocado la lápida.

No me dio la sensación de que estuviera allí, pero aun así cogí una estúpida banderita francesa y la clavé en el suelo, al pie de su tumba. Quizá los que pasaran pensarían que era un miembro de la Legión Extranjera francesa o algún heroico mercenario.

Lidewij me contestó por fin después de las seis de la tarde, mientras estaba en el sofá viendo la tele y a la vez vídeos en mi portátil. Enseguida observé que había cuatro archivos adjuntos en el e-mail y quise abrirlos inmediatamente, pero vencí la tentación y leí el e-mail.

Querida Hazel:

Peter estaba muy borracho cuando llegamos a su casa esta mañana, pero eso nos facilitó el trabajo. Bas (mi novio) lo entretuvo mientras yo buscaba entre las bolsas de basura con las cartas de los admiradores, pero de pronto caí en la cuenta de que Augustus sabía la dirección de Peter. En la mesa del comedor había una gran pila de correo en la que no tardé en encontrar la carta. La abrí y vi que estaba dirigida a Peter, así que le pedí permiso para leerla.

Se negó.

Entonces me enfadé mucho, Hazel, pero todavía no le grité. Lo que hice fue decirle que debía a su hija muerta leer esa carta de un chico muerto. Se la di, la leyó entera y dijo —cito literalmente—: «Mándasela a la chica y dile que no tengo nada que añadir».

No he leído la carta, aunque no he podido evitar ver algunas frases mientras revisaba las páginas. Las he adjuntado en este correo y te las mandaré a tu casa. ¿Sigues teniendo la misma dirección?

Dios te bendiga y esté contigo, Hazel.

Tu amiga,

Lidewij Vliegenthart

Abrí los cuatro archivos adjuntos. La letra era un desastre, totalmente irregular, las líneas estaban torcidas, y el color del bolígrafo cambiaba. La había escrito en varios días y con diferentes niveles de conciencia.

Van Houten:

Soy una buena persona, pero una mierda de escritor. Usted es una mierda de persona, pero un buen escritor. Formaríamos un buen equipo. No quiero pedirle ningún favor, pero si tiene tiempo —y, por lo que sé, tiene mucho—, me preguntaba si podría escribir un discurso fúnebre para Hazel. He tomado notas, pero quizá usted podría darles forma coherente o algo así. O simplemente decirme qué debería decir de otra manera.

Lo más importante sobre Hazel: a casi todo el mundo le obsesiona dejar huella en el mundo. Dejar un legado. Sobrevivir a la muerte. Todos queremos que nos recuerden. Yo también. Lo que más me preocupa es ser una olvidada víctima más de la antigua y poco gloriosa guerra contra la enfermedad.

Quiero dejar huella.

Pero Van Houten: las huellas que dejamos los hombres suelen ser cicatrices. Construyes un espantoso centro comercial, das un golpe o intentas llegar a ser una estrella del rock, y piensas: «Ahora me recordarán», pero: *a*) no te recuerdan, y *b*) lo único que dejas tras de ti son más cicatrices. Tu golpe se convierte en una dictadura. Tu centro comercial se convierte en una herida.

(De acuerdo, quizá no soy tan mierda como escritor. Pero no puedo enlazar mis ideas, Van Houten. Mis pensamientos son estrellas con las que no puedo formar constelaciones.)

Somos como una manada de perros meando en bocas de incendio. Envenenamos las aguas subterráneas con nuestras meadas, nos apoderamos de todo en un ridículo intento de sobrevivir a la muerte. Yo no puedo dejar de mear en bocas de incendios. Sé que es idiota e inútil —en mi actual estado, épicamente inútil—, pero soy un animal como cualquier otro.

Hazel es diferente. Camina ligera, Van Houten. Camina ligera sin tocar el suelo. Hazel sabe la verdad: es tan probable que hagamos daño al universo como que lo ayudemos, y seguramente no haremos ninguna de las dos cosas.

La gente dirá que es triste que deje una cicatriz menor, que menos personas la recordarán, que la querían mucho, pero no muchos. Pero no es triste, Van Houten. Es un triunfo. Es heroico. ¿No es eso el verdadero heroísmo? Como dicen los médicos: ante todo, no hagas daño.

En cualquier caso, los verdaderos héroes no son los que hacen cosas. Los verdaderos héroes son los que OBSERVAN las cosas, los que les prestan atención. El tipo que inventó la vacuna de la viruela en realidad no inventó nada. Simplemente observó que las personas que tenían viruela bovina no cogían la viruela.

Después de recoger los resultados de mi escáner, me colé en la UCI cuando ella estaba inconsciente. Entré detrás de una enfermera que llevaba una placa y conseguí estar a su lado unos diez minutos, hasta que me pillaron. De verdad creía que iba a morirse antes de que pudiera decirle que también yo iba a morirme. La incesante arenga mecanizada de los cuidados intensivos era atroz. Le sacaban del pecho, gota a gota, aquel líquido oscuro. Los ojos cerrados. Intubada. Pero su mano seguía siendo su mano, todavía tibia, las uñas pintadas de un azul oscuro casi negro, y yo la cogía de la mano e intentaba imaginar el mundo sin nosotros, y por un segundo fui lo bastante buena persona para esperar que se muriera y así nunca llegara a enterarse de que yo me moría también. Pero después quise más tiempo para que pudiéramos enamorarnos. He conseguido mi deseo, supongo, y he dejado mi cicatriz.

Llegó un enfermero y me dijo que tenía que marcharme, que solo podía entrar la familia. Le pregunté si iba bien, y el tipo me contestó: «Sigue entrándole líquido». Bendito sea el desierto, y maldito sea el mar.

¿Qué más? Es preciosa. No te cansas de mirarla. No tienes que preocuparte de si es más inteligente que tú, porque sabes que lo es. Es divertida sin pretenderlo siquiera. La quiero. Tengo la inmensa suerte de quererla, Van Houten. No puedes elegir si van a hacerte daño en este mundo, pero sí eliges quién te lo hace. Me gustan mis elecciones. Y espero que a ella le gusten las suyas.

Me gustan, Augustus.
Me gustan.

Agradecimientos

En esta novela, tanto la enfermedad como su tratamiento son una ficción. Por ejemplo, no existe nada parecido al Phalanxifor. Me lo inventé porque me gustaría que existiera. Los que busquen una historia real del cáncer deberían leer *The Emperor of All Maladies*, de Siddhartha Mulkherjee. Estoy además en deuda con *The Biology of Cancer*, de Robert A. Weinberg, y también con Josh Sundquist, Marshall Urist y Jonneke Hollanders, que compartieron conmigo su tiempo y su experiencia en cuestiones médicas que no sabía si se ajustaban o no a mis caprichos.

Quisiera dar las gracias a Esther Earl, cuya vida fue un regalo para mí y para muchos otros. También a la familia Earl —Lori, Wayne, Abby, Angie, Graham y Abe— por su generosidad y su amistad. Inspirándose en Esther, y en su memoria, los Earl han fundado la ONG This Star Won't Go Out. Encontrarán información al respecto en tswgo.org.

Doy las gracias a la Dutch Literature Foundation, que me concedió dos meses para escribir en Amsterdam, y en especial a Fleur van Koppen, Jean Cristophe Boele van Hensbroek, Janetta de With, Carlijn van Ravenstein, Margje Scheepsma y la comunidad *nerdfighter* holandesa.

A mi editora, Julie Strauss-Gabel, que confió en esta historia durante muchos años de subidas y bajadas, y al extraordinario equipo de Penguin. Doy las gracias en especial a Rosanne Lauer, Deborah Kaplan, Liza Kaplan, Elyse Marshall, Steve Meltzer, Nova Ren Suma e Irene Vandervoort.

A Ilene Cooper, mi mentora y hada madrina.

A mi agente, Jodi Reamer, cuyos sabios consejos me han librado de infinitos desastres.

A los *nerdfighters*, porque son increíbles.

A Catitude, porque lo único que quiere es hacer que el mundo sea un poco menos mierdoso.

A mi hermano, Hank, que es mi mejor amigo y mi más estrecho colaborador.

A mi mujer, Sarah, que es no solo el gran amor de mi vida, sino también mi principal y más fiable lectora. También al niño al que dio a luz, Henry. Además, a mis padres, Mike y Sydney Green, y a mis suegros, Connie y Marshall Urist.

A mis amigos Chris y Marina Waters, que me ayudaron con su historia en momentos cruciales, como hicieron también Joellen Hosler, Shannon James, Vi Hart, Karen Kavett (brillante con los diagramas de Venn), Valerie Barr, Rosianna Halse Rojas y John Darnielle.